KB103324

# 하늘 위에 펼쳐진 100만개의 꿈들

**꿈의 씨앗을 심고**

**별빛 속에서 꽃 피우다.**

운명은 별이 정하는 것이 아니라, 우리 자신이 정하는 것이다

It is not in the stars to hold our destiny but in ourselves

– 윌리엄 셰익스피어 (William Shakespeare) –

지은이 **혜천(慧天) 이지해**

**"꿈을 꾸는 사람들은 위대한 일들을 이룬다"**

꿈을 향한 여정은
작은 씨앗을 심는 것에서 시작됩니다.
꾸준한 노력과 긍정적인 마음가짐으로
매일 조금씩 성장하세요.
실패를 두려워하지 말고, 도전과 배움을 통해
별빛처럼 빛나는 성과를 이루어내세요.
꿈을 향한 열정과 인내가 여러분을 성공의 길로 이끌 것입니다

# 하늘 위에 펼쳐진 100만개의 꿈들

## 꿈의 씨앗을 심고, 별빛 속에서 꽃 피우다.

발행: 2024년 05월 21일
**지은이**: 혜천(慧天) 이지해 (평강사임당)
**편집**: 최윤경 / **디자인**: 최윤경

**펴낸이**: 한건희
**펴낸곳**: 주식회사 부크크
**출판사등록**: 2014.07.15.(제2014-16호)
**주 소**: 서울특별시 금천구 가산디지털1로 119 SK트윈타워 A동 305호
**전 화**: 1670-8316
**전자우편**: info@bookk.co.kr

ISBN 979-11-410-8607-7

www.bookk.co.kr

## 차례

이 책은

꿈을 이루는

여정을 통한

영감과 조언을

제공합니다.

꿈을 향한

꾸준한 노력과 긍정적인 마음가짐이

성공의 열쇠입니다.

# 프롤로그 Prologue

안녕하세요, 이 책을 집필한 이지해입니다. "하늘 위에 펼쳐진 100만개의 꿈들: 꿈의 씨앗을 심고, 별빛 속에서 꽃 피우다"를 여러분과 함께 나누게 되어 기쁩니다. 이 책은 각기 다른 배경과 열정을 가진 50명의 가상의 인물들을 통해, 꿈을 향한 여정의 아름다움과 도전을 그려내고 있습니다. 이들의 이야기는 상상 속에서 만들어졌지만, 그 속에 담긴 열정과 노력이 여러분의 현실과 맞닿아 있기를 바랍니다.

우리는 각자 다른 꿈을 품고 살아갑니다. 어떤 이는 예술가가 되고 싶고, 어떤 이는 과학자가 되고 싶으며, 또 다른 이는 사회를 변화시키는 사람이 되고 싶어 합니다. 이 책에 등장하는 인물들 역시 다양한 꿈을 가지고 있습니다. 음악가, 화가, 영화감독, 우주비행사, 인공지능 연구자, 올림픽 금메달리스트 등 각기 다른 꿈을 향해 나아가는 그들의 이야기는 우리에게 많은 영감을 줄 것입니다.

이 책을 통해 꿈을 찾는 과정에서의 설렘과 어려움, 그리고 그 꿈을 이루기 위한 끊임없는 노력과 인내를 함께 나누고자 합니다. 꿈을 향해 나아가는 길은 때로는 험난하고, 때로는 지칠 때도 있지만, 그 여정에서 얻는 모든 경험들은 우리를 더욱 성장하게 만듭니다. 이 책이 여러분의 꿈을 향한 여정에 작은 등불이 되기를 바랍니다.

꿈을 이루기 위해서는 꾸준한 노력과 열정, 그리고 긍정적인 마음가짐이 필요합니다. 이 책에 담긴 이야기들이 여러분에게 희망과 용기를 주기를 바랍니다. 여러분도 자신의 꿈을 향해 한 걸음 더 나아갈 수 있는 힘을 얻기를 바랍니다. 함께 꿈을 꾸고, 서로에게 영감을 주며, 힘이 되어줄 때, 우리는 더욱 빛나는 삶을 살아갈 수 있습니다.

이 책을 읽는 모든 분들이 자신의 꿈을 이루고, 더 나아가 다른 이들의 꿈을 응원하는 멋진 인생을 살아가기를 진심으로 기원합니다. 별빛 속에서 꿈을 키우는 모든 분들에게 이 책이 작은 등불이 되기를 바랍니다. 꿈은 언제나 우리 곁에 있으며, 그 꿈을 이루기 위한 여정은 지금 이 순간부터 다시 시작될 수 있습니다. 여러분의 꿈을 응원합니다.

감사합니다.

**2024년 05월 20일 혜천(慧天) 이지해**

서문

# 시작의 중요성

이 책은 시작의 중요성과 새로운 기회를 이야기합니다. 시작이 두려울 수 있지만, 이 책은 어떻게 두려움을 극복하고 새로운 시작을 만드는 방법을 보여줍니다. 이 책을 읽어 더 나은 미래를 위한 새로운 시작을 함께 해봅시다!

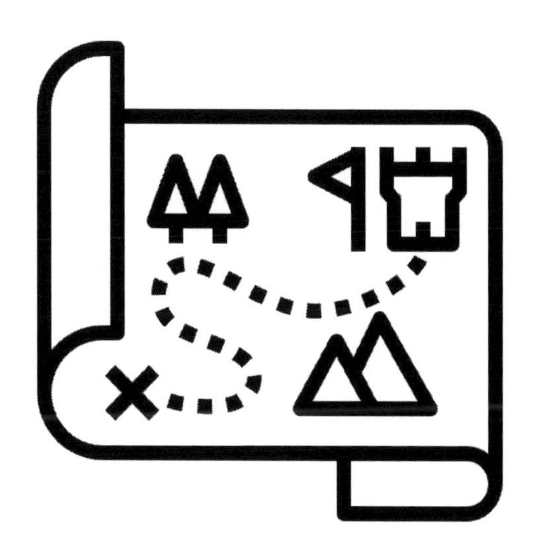

## 서문: 꿈을 향한 여정의 시작

이지해 작가: "안녕하세요, 여러분. 작가 이지해입니다. 이번에 저의 새로운 책을 통해 여러분과 함께 꿈을 향한 아름다운 여정을 함께 떠나고자 합니다. 사실, 이 책을 쓰게 된 계기는 아주 단순했습니다. 저의 주변에서 많은 사람들이 자신만의 꿈을 찾지 못해 방황하는 모습을 봤기 때문이죠. 그 모습을 보면서 '내가 그들에게 작은 힘이 될 수 있을까?'라는 생각이 맴돌았습니다."

이지해 작가: "꿈이라는 단어를 떠올리면 어떤 기분이 드시나요? 설렘, 두려움, 혹은 혼란스러움일 수도 있겠죠. 저 역시 꿈에 대해 생각할 때마다 다양한 감정이 교차하곤 합니다. 하지만 그 모든 감정 속에서 하나 분명한 것은, 꿈은 우리의 삶을 풍요롭게 만들어준다는 사실입니다."

이지해 작가: "저는 다양한 사람들의 이야기를 통해 꿈의 의미와 그 여정을 탐구해보고 싶었습니다. 이 책은 그들의 이야기를 담아, 여러분에게 용기와 영감을 주고자 하는 마음에서 시작되었습니다. 그동안 수많은 사람들과 대화를 나누면서 깨달은 것은, 꿈을 이루기 위한 여정은 결코 혼자가 아니라는 점이었습니다. 우리는 서로를 돕고, 격려하며, 함께 나아가는 것이 중요하다는 것을 알게 되었습니다."

이지해 작가: "이 책의 목적은 굉장히 간결하고 명확합니다. 여러분에게 다양한 인생의 꿈을 추구하는 여정을 소개하고, 그 과정에서 얻은 깊은 교훈과 영감을 나누고자 하는 것입니다. 이러한 경험을 통해, 여러분이 자신의 꿈을 찾아가는 데 필요한 작은

도움을 제공할 수 있기를 바랍니다. 꿈을 찾는 과정은 때로는 어려울 수도 있지만, 그만큼 가치 있는 도전이라고 확신합니다."

이지해 작가: "꿈에 대한 정의를 조금 더 깊게 한 번 생각해볼까요? 일반적으로 꿈은 우리가 잠을 자면서 꾸는 환상일 수도 있고, 우리가 성취하고 싶어하는 목표일 수도 있습니다. 하지만 이 책에서는 꿈이란 단어에 좀 더 깊은 의미를 부여하고 싶었습니다. 꿈이란, 우리 마음 깊숙이 자리 잡고 있는 우리의 열망과 희망이며, 우리가 진정으로 원하는 것을 이루기 위한 원동력이라고 생각합니다."

이지해 작가: "이제부터, 다양한 사람들의 이야기를 통해 꿈의 씨앗을 심어보고, 그 씨앗이 별빛 속에서 꽃 피우는 과정을 함께 탐구해봅시다. 이러한 이야기들은 각자의 꿈을 향한 여정을 들으며, 여러분도 자신의 꿈을 찾아가는 여정에 필요한 용기와 희망을 얻을 수 있기를 바랍니다."

이지해 작가: "여러분의 꿈은 무엇인가요? 일상 속에서 어떤 목표를 가지고 사는지, 그리고 그 목표를 실현하기 위해 어떤 노력을 기울이고 있는지요? 어떤 사람들은 명확한 꿈을 가지고 있지만, 또 다른 사람들은 아직 그들의 꿈이 무엇인지 확실하지 않을 수 있습니다. 만약 여러분이 후자에 속한다면, 아직 명확하지 않은 꿈을 발견하고 명확히 하는 것이 우선이겠지요. 이 책을 통해 그 답을 찾는 여정에 동참하시길 바랍니다. 이 책은 여러분의 인생을 더욱 풍요롭게 만드는데 도움을 줄 수 있을 것입니다.

이지해 작가: “이 책은 여러분의 꿈을 도와주는 도구이자 가이드입니다. 여러분의 꿈을 이루는 데 필요한 다양한 요소와 전략에 대해 이야기하려 합니다. 그리고 이는 단순히 이론적인 부분뿐만 아니라, 실제로 꿈을 이루는 데 도움이 될 수 있는 실전적인 조언과 팁을 제공하기 위한 것입니다.

이지해 작가: 이제, 첫 번째 이야기로 들어가 보겠습니다. 이 이야기는 여러분의 꿈을 이루는 데 도움이 될 수 있는 가치 있는 이야기입니다. 이 이야기를 통해 여러분은 꿈을 향한 여정에서 어떤 방향으로 나아가야 하는지, 어떤 도전과 기회가 기다리고 있는지에 대해 배울 수 있을 것입니다."

제 1 장

# 예술과 창의성의 꿈

음악가, 화가, 영화감독 등의 꿈을 가진 사람들은 열정과 노력으로 자신의 예술적 비전을 실현해 나갑니다. 그들은 꾸준한 연습과 창의적인 시도로 자신의 꿈을 향해 한 걸음씩 나아가고 있습니다.

## 음악가를 꿈꾸는 소년(지훈)

이지해 작가: "안녕하세요, 지훈 씨. 음악가가 되겠다는 꿈을 갖게 된 계기가 무엇인가요?"

지훈: "안녕하세요, 작가님. 어렸을 때부터 피아노를 치기 시작했어요. 부모님께서 다양한 음악을 틀어주셔서 자연스럽게 음악에 흥미를 가지게 되었어요. 특히 초등학교 때 음악 수업에서 피아노를 연주할 기회가 많았는데, 그때부터 음악가가 되고 싶다는 생각을 하게 되었어요."

이지해 작가: "음악 수업이 큰 영향을 주었군요. 그 후로 음악을 공부하고 발전시키기 위해 어떤 노력을 했나요?"

지훈: "처음에는 피아노 학원에 다녔고, 이후로는 학교에서 음악 동아리에 가입했어요. 고등학교 때는 음악 콩쿠르에 나가면서 실력을 키웠고, 최근에는 작곡을 배우기 위해 개인 레슨도 받고 있어요."

이지해 작가: "음악가가 되기 위해 다양한 경험을 쌓았네요. 혹시 꿈을 찾는 과정에서 가장 기억에 남는 순간이 있었나요?"

지훈: "네, 중학교 때 학교 축제에서 솔로로 피아노를 연주했을 때가 기억에 남아요. 많은 사람들 앞에서 연주하는 게 처음이라 긴장도 많이 됐지만, 연주가 끝났을 때 큰 박수를 받았어요. 그때 정말 행복했고, 음악가가 되겠다는 다짐을 하게 되었죠."

이지해 작가: "그 경험이 큰 동기부여가 되었겠어요. 지훈 씨의 꿈을 지지해주는 사람들은 누구인가요?"

지훈: "부모님이 항상 응원해주셨어요. 그리고 학교 음악 선생님도 제가 음악을 계속할 수 있도록 많은 도움을 주셨어요. 선생님은 제게 다양한 음악 경연대회에 참가해보라고 권유해주셨고, 그 덕분에 많은 경험을 쌓을 수 있었죠."

이지해 작가: "주변의 지지와 응원이 큰 힘이 되었군요. 그렇다면, 지훈 씨가 꿈을 실현하기 위해 현재 실천하고 있는 구체적인 행동들이 무엇인가요?"

지훈: "매일 최소 한 시간씩 피아노를 연습하고 있어요. 작곡도 배우고 있어서 새로운 곡을 만들어보는 연습도 하고요. 주말마다 음악 학원에서 레슨을 받고 있고, 다양한 장르의 음악을 듣고 분석하는 시간도 가지려고 해요."

이지해 작가: "정말 꾸준히 노력하고 있군요. 음악가라는 꿈을 이루기 위해 어떤 조언을 해주고 싶나요?"

지훈: "음악을 사랑하는 마음이 가장 중요하다고 생각해요. 그리고 끊임없이 연습하고, 다양한 음악을 접하는 것이 중요해요. 실패하더라도 포기하지 않고 계속 도전하는 자세가 필요해요."

이지해 작가: "지훈 씨, 훌륭한 조언이에요. 저도 몇 가지 조언을 덧붙이고 싶어요. 먼저, 꾸준히 연습하는 것은 정말 중요해요. 매일 일정한 시간에 연습을 하고, 목표를 세우는 것이 필요하죠. 예를 들어, 이번 주에는 특정 곡을 완벽하게 연주하겠다는 목표를 세우면 도움이 될 거예요."

"또한, 다양한 음악을 접하며 자신의 음악적 시야를 넓히는 것도 중요해요. 클래식뿐만 아니라 재즈, 팝 등 다양한 장르의 음악을 듣고, 연주해보는 것도 큰 도움이 될 거예요. 그렇게 하면 새로운 영감을 얻을 수 있고, 자신만의 스타일을 찾는 데 도움이 될 거예요."

"그리고 무대 경험을 많이 쌓는 것도 필요해요. 음악 콩쿠르나 공연에 자주 참가해서 무대 경험을 쌓으면 자신감을 키울 수 있어요. 무대에서 연주할 때의 긴장감을 이겨내고, 실수를 극복하는 경험이 쌓일수록 더 나은 음악가로 성장할 수 있을 거예요."

지훈: "정말 감사합니다, 작가님. 말씀해주신 조언을 꼭 실천해 볼게요. 더 열심히 노력해서 훌륭한 음악가가 되겠습니다."

이지해 작가: "마지막으로, 지훈 씨에게 힘이 되고 영감을 주는 인용구를 하나 소개해줄래요?"

지훈: "네, '음악은 영혼의 언어다.' - 마커스 툴리우스 키케로. 이 말을 항상 마음에 새기고 있어요."

이지해 작가: "정말 멋진 말이네요. 지훈 씨의 꿈을 응원합니다. 항상 긍정적인 마음가짐을 잊지 말고, 꾸준히 노력하세요!"

## 화가가 되고 싶은 직장인(소영)

이지해 작가: "안녕하세요, 소영 씨. 직장 생활을 하면서도 화가라는 꿈을 가지고 있다고 들었어요. 언제부터 그런 꿈을 가지게 되었나요?"

소영: "안녕하세요, 작가님. 어렸을 때부터 그림 그리는 것을 좋아했어요. 대학 때는 현실적인 이유로 다른 전공을 선택했지만, 직장 생활을 하다 보니 그림에 대한 열망이 다시 커졌어요. 그래서 몇 년 전부터 다시 그림을 그리기 시작했어요."

이지해 작가: "정말 멋지네요. 직장 생활과 병행하는 것이 쉽지 않았을 텐데, 어떻게 다시 시작하게 되었나요?"

소영: "퇴근 후나 주말에 시간을 내서 그림을 그리기 시작했어요. 온라인 강좌를 듣고, 야외 스케치 모임에 나가면서 다양한 사람들과 교류하다 보니 점점 더 그림에 빠져들게 되었어요."

이지해 작가: "그림을 다시 시작하게 된 계기가 있군요. 그 과정에서 가장 도움이 되었던 것은 무엇이었나요?"

소영: "가족과 친구들의 응원이 컸어요. 모두가 제가 다시 그림을 그리는 것을 응원해줬고, 특히 미술 전공 친구가 많은 도움을 줬어요. 함께 전시회를 다니며 영감을 얻고, 서로의 그림에 대해 이야기 나누면서 많은 것을 배웠어요."

이지해 작가: "주변의 지지와 다양한 활동이 큰 도움이 되었군요. 그럼, 소영 씨가 꿈을 실현하기 위해 현재 실천하고 있는 구체적인 행동들이 무엇인가요?"

소영: "매일 최소 30분 이상 그림을 그리려고 노력해요. 피곤한 날에도 시간을 내서 연습을 게을리하지 않으려고 해요. 주말마다 야외 스케치 모임에 나가서 다양한 사람들과 소통하며 영감을 얻고 있어요. 또, 제 작품을 SNS에 올려 피드백을 받고 있습니다."

이지해 작가: "꾸준한 노력이 중요하군요. 화가라는 꿈을 이루기 위해 어떤 조언을 해주고 싶나요?"

소영: "자신의 스타일을 찾는 것이 중요해요. 다양한 기법과 재료를 시도해보면서 자신만의 스타일을 발견하길 권해요. 그리고 항상 새로운 것을 배우고, 많은 작품을 감상하면서 영감을 얻는 것이 필요해요."

이지해 작가: "소영 씨, 훌륭한 조언이에요. 저도 몇 가지 조언을 덧붙이고 싶어요. 먼저, 꾸준히 연습하는 것은 정말 중요해요. 매일 일정한 시간에 연습을 하고, 목표를 세우는 것이 필요하죠. 예를 들어, 이번 주에는 특정 기법을 완벽하게 익히겠다는 목표를 세우면 도움이 될 거예요."

"또한, 다양한 예술 작품을 접하며 자신의 예술적 시야를 넓히는 것도 중요해요. 다양한 전시회에 참가하거나, 다른 화가들의 작품을 감상하면서 영감을 얻을 수 있어요. 그렇게 하면 새로운 기법을 배울 수 있고, 자신만의 스타일을 찾는 데 도움이 될 거예요."

"그리고 무대 경험을 많이 쌓는 것도 필요해요. 전시회나 워크숍에 자주 참가해서 무대 경험을 쌓으면 자신감을 키울 수 있어요. 무대에서 작품을 선보일 때의 긴장감을 이겨내고, 실수를 극복하는 경험이 쌓일수록 더 나은 화가로 성장할 수 있을 거예요."

소영: "정말 감사합니다, 작가님. 말씀해주신 조언을 꼭 실천해 볼게요. 더 열심히 노력해서 훌륭한 화가가 되겠습니다."

이지해 작가: "마지막으로, 소영 씨에게 힘이 되고 영감을 주는 인용구를 하나 소개해줄래요?"

소영: "'예술은 영혼의 숨결이다.' - 파블로 피카소. 이 말을 항상 마음에 새기고 있어요."

이지해 작가: "정말 멋진 말이네요. 소영 씨의 꿈을 응원합니다. 항상 긍정적인 마음가짐을 잊지 말고, 꾸준히 노력하세요!"

## 영화감독을 꿈꾸는 대학생(준호)

이지해 작가: "안녕하세요, 준호 씨. 영화감독이 되겠다는 꿈을 갖게 된 계기가 무엇인가요?"

준호: "안녕하세요, 작가님. 고등학교 때 학교에서 영화를 제작하는 프로젝트를 했었어요. 그때 감독으로 참여하면서 영화의 매력에 빠졌죠. 그 이후로 영화를 만들고 싶다는 꿈을 가지게 되었어요."

이지해 작가: "고등학교 때의 경험이 큰 영향을 주었군요. 그 후로 영화에 대해 어떻게 공부해왔나요?"

준호: "대학에서 영화 제작을 전공하고 있어요. 수업 외에도 친구들과 독립영화를 제작하며 실력을 쌓고 있습니다. 또한, 다양한 영화제에 작품을 출품하여 피드백을 받고 있어요."

이지해 작가: "영화감독이 되기 위해 다양한 경험을 쌓았네요. 혹시 꿈을 찾는 과정에서 가장 기억에 남는 순간이 있었나요?"

준호: "네, 고등학교 때 만든 첫 영화가 학교 영화제에서 상을 받았을 때가 가장 기억에 남아요. 그때 관객들이 제 영화를 보고 감동받는 모습을 보며, 영화감독이 되겠다는 다짐을 하게 되었어요."

이지해 작가: "그 경험이 큰 동기부여가 되었겠어요. 준호 씨의 꿈을 지지해주는 사람들은 누구인가요?"

준호: "주변 친구들과 가족이 항상 응원해줬어요. 특히, 대학에서 만난 교수님과 선배들이 많은 도움을 주셨죠. 그들은 제게 다양한 영화제에 참여해보라고 권유해주었고, 그 덕분에 많은 경험을 쌓을 수 있었어요."

이지해 작가: "주변의 지지와 응원이 큰 힘이 되었군요. 그렇다면, 준호 씨가 꿈을 실현하기 위해 현재 실천하고 있는 구체적인 행동들이 무엇인가요?"

준호: "매주 최소 한 편의 영화를 분석하며 공부하고 있어요. 좋아하는 감독의 작품을 보면서 그들의 연출 방식을 배우고, 이를 저만의 스타일로 발전시키려고 노력하고 있어요. 또한, 독립영화 제작에 참여하면서 실전 경험을 쌓고 있습니다."

이지해 작가: "정말 꾸준히 노력하고 있군요. 영화감독이라는 꿈을 이루기 위해 어떤 조언을 해주고 싶나요?"

준호: "다양한 경험을 쌓는 것이 중요해요. 다양한 장르의 영화를 보고, 여러 사람들과 협업하면서 많은 것을 배우길 권해요. 그리고 자신의 이야기를 진솔하게 담아내는 것이 중요하다고 생각해요."

이지해 작가: "준호 씨, 훌륭한 조언이에요. 저도 몇 가지 조언을 덧붙이고 싶어요. 먼저, 다양한 영화를 분석하는 것은 정말 중요해요. 다양한 감독들의 작품을 보며 그들의 연출 방식을 배우고, 자신만의 스타일을 찾아가는 것이 필요해요."

"또한, 많은 사람들과 협업하며 다양한 경험을 쌓는 것도 중요해요. 영화는 혼자서 만드는 것이 아니기 때문에, 다양한 사람들과의 협업을 통해 많은 것을 배우고, 자신만의 팀을 만들어가는 것이 필요해요."

"그리고 자신의 이야기를 진솔하게 담아내는 것도 중요해요. 관객들은 진실된 이야기에 감동을 받기 때문에, 자신의 경험과 감정을 솔직하게 담아내는 것이 중요해요."

준호: "정말 감사합니다, 작가님. 말씀해주신 조언을 꼭 실천해볼게요. 더 열심히 노력해서 훌륭한 영화감독이 되겠습니다."

이지해 작가: "마지막으로, 준호 씨에게 힘이 되고 영감을 주는 인용구를 하나 소개해줄래요?"

준호: "'영화는 꿈을 이루는 도구이다.' - 스티븐 스필버그. 이 말을 항상 마음에 새기고 있어요."

이지해 작가: "정말 멋진 말이네요. 준호 씨의 꿈을 응원합니다. 항상 긍정적인 마음가짐을 잊지 말고, 꾸준히 노력하세요!"

제 2 장

# 과학과 기술의 꿈

다양한 과학과 기술 분야에서 꿈을 꾸는 사람들의 이야기와 그들의 도전 과정을 통해, 끊임없는 학습과 열정이 꿈을 이루는 데 중요함을 강조합니다. 우주비행사, 인공지능 연구자, 로봇공학자 등의 사례를 통해 구체적인 노력과 실천 방법을 제시합니다.

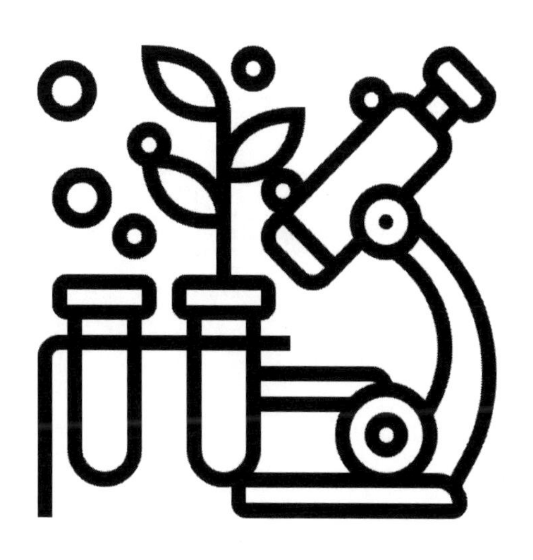

## 우주비행사를 꿈꾸는 소녀(은지)

이지해 작가: "안녕하세요, 은지 씨. 우주비행사가 되겠다는 꿈을 가지게 된 특별한 계기가 있나요?"

은지: "안녕하세요, 작가님. 어렸을 때부터 밤하늘을 바라보는 것을 좋아했어요. 부모님이 보여주신 다큐멘터리와 천문학 책을 읽으면서 우주에 대한 호기심이 커졌고, 특히 아폴로 11호 이야기를 들은 후로 우주비행사가 되겠다는 꿈을 꾸게 되었어요."

이지해 작가: "정말 흥미롭네요. 다큐멘터리와 책이 큰 영향을 주었군요. 그 후로 우주에 대해 어떻게 공부해왔나요?"

은지: "학교에서 과학과 수학을 열심히 공부했고, 천문학 동아리에 가입했어요. 주말에는 천문대에 가서 별을 관찰하고, 여름방학 때는 우주 캠프에 참여해서 우주비행사와 직접 만나기도 했어요. 또한, 온라인 강좌를 통해 우주와 관련된 다양한 지식을 쌓고 있습니다."

이지해 작가: "은지 씨, 많은 사람들이 꿈을 찾지 못해서 고민하는데, 어떻게 우주비행사라는 꿈을 확신하게 되었나요?"

은지: "처음에는 단순히 별을 보는 게 좋았어요. 그런데 우주비행사에 대한 다큐멘터리를 보고, 우주에 대한 호기심이 더 커졌죠. 그리고 우주 캠프에서 실제 우주비행사를 만나고 그들의 이야기를 들으면서 저도 할 수 있다는 확신이 생겼어요."

이지해 작가: "우주 캠프와 만남이 큰 동기부여가 되었군요. 그 과정에서 가장 도움이 되었던 경험은 무엇이었나요?"

은지: "우주 캠프에서의 경험이 가장 큰 도움이 되었어요. 실제 우주비행사의 이야기를 듣고, 모의 훈련을 체험하면서 꿈이 더욱 확고해졌어요. 또한, 캠프에서 만난 친구들과의 교류도 큰 자극이 되었어요. 모두가 같은 꿈을 꾸고 있어 서로에게 많은 영감을 주었죠."

이지해 작가: "주변의 지지와 다양한 활동이 큰 도움이 되었군요. 은지 씨의 꿈을 지지해주는 사람들은 누구인가요?"

은지: "부모님이 가장 큰 지지자예요. 항상 응원해주시고, 제가 우주에 대한 호기심을 키울 수 있도록 다양한 자료를 제공해주셨어요. 그리고 학교의 과학 선생님도 많은 도움을 주셨어요. 선생님은 제게 다양한 과학 경진대회에 참가해보라고 권유해주셨고, 그 덕분에 많은 경험을 쌓을 수 있었죠."

이지해 작가: "주변의 지지와 응원이 큰 힘이 되었군요. 그렇다면, 은지 씨가 꿈을 실현하기 위해 현재 실천하고 있는 구체적인 행동들이 무엇인가요?"

은지: "매일 최소 한 시간 이상 우주 관련 공부를 하고 있어요. 과학 수업 외에도 관련 서적을 읽고, 다큐멘터리를 보면서 지식을 쌓고 있어요. 또한, 주말마다 천문대에 가서 별을 관찰하며 실제 우주의 모습을 직접 보려고 노력하고 있습니다."

이지해 작가: "정말 꾸준히 노력하고 있군요. 우주비행사가 되기 위해 어떤 조언을 해주고 싶나요?"

은지: "자신을 믿고 끊임없이 도전하는 것이 중요하다고 생각해요. 실패하더라도 포기하지 않고 계속 노력하는 자세가 필요해요. 그리고 다양한 경험을 쌓으며 자신의 시야를 넓히는 것이 중요해요."

이지해 작가: "은지 씨, 훌륭한 조언이에요. 저도 몇 가지 조언을 덧붙이고 싶어요. 먼저, 꾸준히 공부하는 것은 정말 중요해요. 매일 일정한 시간에 공부를 하고, 목표를 세우는 것이 필요하죠. 예를 들어, 이번 달에는 특정 천체에 대해 깊이 공부하겠다는 목표를 세우면 도움이 될 거예요."

"또한, 다양한 과학 경진대회와 캠프에 참여하며 자신의 경험을 쌓는 것도 중요해요. 그렇게 하면 새로운 영감을 얻을 수 있고, 자신만의 목표를 설정하는 데 도움이 될 거예요."

"그리고 체력 단련도 필요해요. 우주비행사는 강한 체력이 필요하므로, 규칙적인 운동을 통해 체력을 기르는 것이 중요해요. 이러한 모든 노력들이 모여서 꿈을 이루는 데 큰 도움이 될 거예요."

은지: "정말 감사합니다, 작가님. 말씀해주신 조언을 꼭 실천해 볼게요. 더 열심히 노력해서 훌륭한 우주비행사가 되겠습니다."

이지해 작가: "마지막으로, 은지 씨에게 힘이 되고 영감을 주는 인용구를 하나 소개해줄래요?"

은지: "'우주는 탐험하는 자의 것이다.' - 칼 세이건. 이 말을 항상 마음에 새기고 있어요."

이지해 작가: "정말 멋진 말이네요. 은지 씨의 꿈을 응원합니다. 항상 긍정적인 마음가짐을 잊지 말고, 꾸준히 노력하세요!"

## 인공지능 연구자를 꿈꾸는 연구원(민수)

이지해 작가: "안녕하세요, 민수 씨. 인공지능 연구자가 되겠다는 꿈을 가지게 된 특별한 계기가 있나요?"

민수: "안녕하세요, 작가님. 대학 시절에 컴퓨터 공학을 전공하면서 인공지능에 대한 흥미가 생겼어요. 특히, 머신러닝 수업을 들으면서 인공지능의 무궁무진한 가능성에 매료되었죠. 그 이후로 인공지능 연구자가 되고 싶다는 꿈을 가지게 되었어요."

이지해 작가: "대학 시절의 경험이 큰 영향을 주었군요. 그동안 인공지능에 대해 어떻게 공부해왔나요?"

민수: "대학에서는 컴퓨터 공학과 관련된 다양한 수업을 들으며 기초 지식을 쌓았고, 그 후에는 온라인 강좌와 독학으로 심화 학습을 이어갔어요. 또한, 인공지능 관련 프로젝트와 연구에 참여하면서 실무 경험을 쌓고 있습니다."

이지해 작가: "민수 씨, 많은 사람들이 꿈을 찾지 못해서 고민하는데, 어떻게 인공지능 연구자라는 꿈을 확신하게 되었나요?"

민수: "처음에는 단순히 컴퓨터 프로그램을 만드는 것이 재미있어서 시작했어요. 그런데 대학에서 머신러닝 수업을 듣고 나서 인공지능의 잠재력과 가능성에 매료되었죠. 그 이후로 인공지능에 대한 열정이 생기고, 자연스럽게 인공지능 연구자가 되고 싶다는 꿈을 꾸게 되었어요."

이지해 작가: "프로그래밍이 꿈으로 발전한 거군요. 그 과정에서 가장 큰 도움이 되었던 것은 무엇이었나요?"

민수: "학교에서의 수업과 프로젝트 경험이 컸어요. 교수님과 선배들의 조언도 많은 도움이 되었죠. 또한, 인공지능 관련 세미나와 컨퍼런스에 참가하면서 최신 기술과 연구 동향을 접할 수 있었던 것도 큰 자극이 되었어요."

이지해 작가: "주변의 지지와 다양한 활동이 큰 도움이 되었군요. 민수 씨의 꿈을 지지해주는 사람들은 누구인가요?"

민수: "대학 동기들이 많은 도움이 되었어요. 함께 프로젝트를 진행하면서 서로의 아이디어를 나누고, 부족한 부분을 보완해 주었어요. 그리고 지도 교수님이 항상 제 연구를 지지해 주셨고, 새로운 연구 방향을 제시해주셨어요."

이지해 작가: "주변의 지지와 응원이 큰 힘이 되었군요. 그렇다면, 민수 씨가 꿈을 실현하기 위해 현재 실천하고 있는 구체적인 행동들이 무엇인가요?"

민수: "매일 최소 한 시간 이상 인공지능 관련 공부를 하고 있어요. 연구 외에도 관련 서적을 읽고, 논문을 통해 최신 연구 동향을 파악하려고 노력하고 있어요. 또한, 주말마다 연구실에 나가서 실험을 진행하며 실제 데이터를 다루는 경험을 쌓고 있습니다."

이지해 작가: "정말 꾸준히 노력하고 있군요. 인공지능 연구자가 되기 위해 어떤 조언을 해주고 싶나요?"

민수: "자신을 믿고 끊임없이 도전하는 것이 중요하다고 생각해요. 실패하더라도 포기하지 않고 계속 노력하는 자세가 필요해요. 그리고 다양한 경험을 쌓으며 자신의 시야를 넓히는 것이 중요해요."

이지해 작가: "민수 씨, 훌륭한 조언이에요. 저도 몇 가지 조언을 덧붙이고 싶어요. 먼저, 꾸준히 연구하는 것은 정말 중요해요. 매일 일정한 시간에 연구를 하고, 목표를 세우는 것이 필요하죠. 예를 들어, 이번 달에는 특정 알고리즘을 완벽하게 이해하겠다는 목표를 세우면 도움이 될 거예요."

"또한, 다양한 인공지능 프로젝트에 참여하며 자신의 경험을 쌓는 것도 중요해요. 그렇게 하면 새로운 영감을 얻을 수 있고, 자신만의 연구 방향을 설정하는 데 도움이 될 거예요."

"그리고 최신 연구 동향을 파악하는 것도 필요해요. 논문을 자주 읽고, 세미나와 컨퍼런스에 참가해서 최신 기술과 아이디어를 배우는 것이 중요해요. 이러한 모든 노력들이 모여서 꿈을 이루는 데 큰 도움이 될 거예요."

민수: "정말 감사합니다, 작가님. 말씀해주신 조언을 꼭 실천해 볼게요. 더 열심히 노력해서 훌륭한 인공지능 연구자가 되겠습니다."

이지해 작가: "마지막으로, 민수 씨에게 힘이 되고 영감을 주는 인용구를 하나 소개해줄래요?"

민수: "'인공지능은 인간의 지능을 확장시키는 도구이다.' - 스티브 잡스. 이 말을 항상 마음에 새기고 있어요."

이지해 작가: "정말 멋진 말이네요. 민수 씨의 꿈을 응원합니다. 항상 긍정적인 마음가짐을 잊지 말고, 꾸준히 노력하세요!"

## 로봇공학자가 되고 싶은 중학생(현수)

이지해 작가: "안녕하세요, 현수 씨. 어릴 때부터 로봇에 관심이 많다고 들었어요. 로봇공학자가 되겠다는 꿈을 가지게 된 특별한 계기가 있나요?"

현수: "안녕하세요, 작가님. 어렸을 때부터 로봇 장난감을 가지고 노는 것을 좋아했어요. 특히, 로봇 경진대회에 참가하면서 로봇을 직접 만들고 프로그래밍하는 것이 너무 재미있었죠. 그 이후로 로봇공학자가 되고 싶다는 꿈을 가지게 되었어요."

이지해 작가: "로봇 경진대회가 큰 영향을 주었군요. 그 이후로 로봇에 대해 어떻게 공부해왔나요?"

현수: "학교에서 과학과 수학 수업을 열심히 듣고, 방과 후 로봇 동아리에 참여하면서 다양한 로봇을 만들어보았어요. 또한, 로봇 관련 서적과 온라인 강좌를 통해 프로그래밍과 공학 지식을 쌓고 있습니다."

이지해 작가: "현수 씨, 많은 사람들이 꿈을 찾지 못해서 고민하는데, 어떻게 로봇공학자라는 꿈을 확신하게 되었나요?"

현수: "처음에는 단순히 로봇 장난감을 좋아했어요. 그런데 로봇 경진대회에 참가하면서 직접 로봇을 만들고 프로그래밍하는 것이 너무 재미있었죠. 그 이후로 로봇에 대한 열정이 생기고, 자연스럽게 로봇공학자가 되고 싶다는 꿈을 꾸게 되었어요."

이지해 작가: "로봇 장난감이 꿈으로 발전한 거군요. 그 과정에서 가장 큰 도움이 되었던 것은 무엇이었나요?"

현수: "학교에서의 과학과 수학 수업, 그리고 로봇 동아리 활동이 컸어요. 선생님과 친구들의 도움도 많은 도움이 되었죠. 또한, 로봇 경진대회에 참가하면서 다양한 경험을 쌓을 수 있었던 것도 큰 자극이 되었어요."

이지해 작가: "주변의 지지와 다양한 활동이 큰 도움이 되었군요. 현수 씨의 꿈을 지지해주는 사람들은 누구인가요?"

현수: "학교의 로봇 동아리 선생님이 많은 도움을 주셨어요. 선생님은 제가 로봇에 대한 관심을 계속 가질 수 있도록 다양한 프로젝트를 제안해주셨고, 실험실에서 직접 로봇을 만들고 프로그래밍하는 경험을 쌓게 해주셨어요."

이지해 작가: "주변의 지지와 응원이 큰 힘이 되었군요. 그렇다면, 현수 씨가 꿈을 실현하기 위해 현재 실천하고 있는 구체적인 행동들이 무엇인가요?"

현수: "매일 최소 한 시간 이상 로봇 관련 공부를 하고 있어요. 방과 후에는 로봇 동아리에 참여하며 다양한 로봇을 만들어보고 있어요. 또한, 주말마다 로봇 경진대회 준비를 위해 친구들과 함께 프로젝트를 진행하고 있습니다."

이지해 작가: "정말 꾸준히 노력하고 있군요. 로봇공학자가 되기 위해 어떤 조언을 해주고 싶나요?"

현수: "자신을 믿고 끊임없이 도전하는 것이 중요하다고 생각해요. 실패하더라도 포기하지 않고 계속 노력하는 자세가 필요해요. 그리고 다양한 경험을 쌓으며 자신의 시야를 넓히는 것이 중요해요."

이지해 작가: "현수 씨, 훌륭한 조언이에요. 저도 몇 가지 조언을 덧붙이고 싶어요. 먼저, 꾸준히 공부하는 것은 정말 중요해요. 매일 일정한 시간에 공부를 하고, 목표를 세우는 것이 필요하죠. 예를 들어, 이번 달에는 특정 로봇을 완벽하게 프로그래밍하겠다는 목표를 세우면 도움이 될 거예요."

"또한, 다양한 로봇 경진대회와 프로젝트에 참여하며 자신의 경험을 쌓는 것도 중요해요. 그렇게 하면 새로운 영감을 얻을 수 있고, 자신만의 목표를 설정하는 데 도움이 될 거예요."

"그리고 다양한 프로그래밍 언어를 배우는 것도 필요해요. 로봇공학자는 다양한 언어를 사용하므로, 여러 언어를 배우고 익히는 것이 중요해요. 이러한 모든 노력들이 모여서 꿈을 이루는 데 큰 도움이 될 거예요."

현수: "정말 감사합니다, 작가님. 말씀해주신 조언을 꼭 실천해 볼게요. 더 열심히 노력해서 훌륭한 로봇공학자가 되겠습니다."

이지해 작가: "마지막으로, 현수 씨에게 힘이 되고 영감을 주는 인용구를 하나 소개해줄래요?"

현수: "'로봇은 미래를 창조하는 도구이다.' - 이언 매카너미. 이 말을 항상 마음에 새기고 있어요."

이지해 작가: "정말 멋진 말이네요. 현수 씨의 꿈을 응원합니다. 항상 긍정적인 마음가짐을 잊지 말고, 꾸준히 노력하세요!"

제 3 장

# 스포츠와 건강의 꿈

운동선수, 축구 선수, 피트니스 트레이너를 꿈꾸는 사람들이 목표를 향해 꾸준히 노력하는 과정을 통해 열정과 끈기의 중요성을 보여줍니다. 그들의 이야기에서 우리는 건강한 생활 습관과 긍정적인 마음가짐이 꿈을 이루는 데 필수적이라는 것을 배웁니다.

## 올림픽 금메달리스트를 꿈꾸는 운동선수(지혜)

이지해 작가: "안녕하세요, 지혜 씨. 올림픽 금메달리스트라는 큰 꿈을 가지게 된 계기가 있나요?"

지혜: "안녕하세요, 작가님. 초등학교 때부터 체육 시간이 제일 좋았어요. 특히 육상 경기를 좋아했는데, 처음으로 학교 대표로 나간 대회에서 1등을 하게 되면서 꿈이 생겼어요. 그 이후로 올림픽에서 금메달을 따겠다는 목표를 가지게 되었어요."

이지해 작가: "어렸을 때부터 운동을 좋아했군요. 그 후로 육상에 대해 어떻게 훈련해왔나요?"

지혜: "학교 체육부에 들어가서 본격적으로 훈련을 받기 시작했어요. 아침 일찍 일어나서 러닝을 하고, 방과 후에는 트랙에서 훈련을 했어요. 주말에는 코치님과 함께 집중 훈련을 했고, 다양한 대회에 참가해서 경험을 쌓았어요."

이지해 작가: "지혜 씨, 많은 사람들이 꿈을 찾지 못해서 고민하는데, 어떻게 올림픽 금메달리스트라는 꿈을 확신하게 되었나요?"

지혜: "처음에는 단순히 달리는 것이 즐거워서 시작했어요. 그런데 첫 대회에서 우승한 후, 더 큰 무대에서 뛰고 싶다는 열망이 생겼어요. 그리고 TV에서 올림픽 경기를 보면서, 저도 저 자리에 서고 싶다는 강한 열망이 생겼죠."

이지해 작가: "그 열망이 큰 동기부여가 되었군요. 그 과정에서 가장 도움이 되었던 경험은 무엇이었나요?"

지혜: "첫 대회에서 우승한 경험이 가장 큰 도움이 되었어요. 그때의 성취감이 계속 도전하게 만드는 원동력이 되었죠. 그리고 다양한 대회에서의 경험이 제 실력을 키우는 데 큰 도움이 되었어요."

이지해 작가: "주변의 지지와 다양한 활동이 큰 도움이 되었군요. 지혜 씨의 꿈을 지지해주는 사람들은 누구인가요?"

지혜: "부모님이 항상 응원해주셨어요. 그리고 학교 체육 선생님과 코치님도 많은 도움을 주셨어요. 코치님은 제게 다양한 훈련 방법을 제시해주셨고, 학교 선생님은 대회 참가를 적극적으로 지원해주셨어요."

이지해 작가: "주변의 지지와 응원이 큰 힘이 되었군요. 그렇다면, 지혜 씨가 꿈을 실현하기 위해 현재 실천하고 있는 구체적인 행동들이 무엇인가요?"

지혜: "매일 아침 일찍 일어나서 러닝을 하고, 방과 후에는 트랙에서 훈련을 해요. 주말에는 코치님과 함께 집중 훈련을 하며, 식단 관리도 철저히 하고 있어요. 또한, 다양한 대회에 참가해서 경험을 쌓고, 부족한 부분을 보완하려고 노력하고 있어요."

이지해 작가: "정말 꾸준히 노력하고 있군요. 올림픽 금메달리스트가 되기 위해 어떤 조언을 해주고 싶나요?"

지혜: "자신을 믿고 끊임없이 도전하는 것이 중요하다고 생각해요. 실패하더라도 포기하지 않고 계속 노력하는 자세가 필요해요. 그리고 다양한 경험을 쌓으며 자신의 시야를 넓히는 것이 중요해요."

이지해 작가: "지혜 씨, 훌륭한 조언이에요. 저도 몇 가지 조언을 덧붙이고 싶어요. 먼저, 꾸준히 훈련하는 것은 정말 중요해요. 매일 일정한 시간에 훈련을 하고, 목표를 세우는 것이 필요하죠. 예를 들어, 이번 달에는 특정 기록을 달성하겠다는 목표를 세우면 도움이 될 거예요."

"또한, 다양한 대회에 참여하며 자신의 경험을 쌓는 것도 중요해요. 그렇게 하면 새로운 영감을 얻을 수 있고, 자신만의 목표를 설정하는 데 도움이 될 거예요."

"그리고 체력 관리도 중요해요. 규칙적인 운동과 함께 식단 관리도 철저히 해야 해요. 이러한 모든 노력들이 모여서 꿈을 이루는 데 큰 도움이 될 거예요."

지혜: "정말 감사합니다, 작가님. 말씀해주신 조언을 꼭 실천해볼게요. 더 열심히 노력해서 훌륭한 올림픽 금메달리스트가 되겠습니다."

이지해 작가: "마지막으로, 지혜 씨에게 힘이 되고 영감을 주는 인용구를 하나 소개해줄래요?"

지혜: "'노력은 배신하지 않는다.' - 유도 선수 야마다 고타. 이 말을 항상 마음에 새기고 있어요."

이지해 작가: "정말 멋진 말이네요. 지혜 씨의 꿈을 응원합니다. 항상 긍정적인 마음가짐을 잊지 말고, 꾸준히 노력하세요!"

## 프로 축구 선수를 꿈꾸는 고등학생(준서)

이지해 작가: "안녕하세요, 준서 씨. 프로 축구 선수가 되겠다는 꿈을 가지게 된 계기가 있나요?"

준서: "안녕하세요, 작가님. 어렸을 때부터 축구를 좋아했어요. 아버지와 함께 축구 경기를 보면서 자연스럽게 축구에 대한 흥미를 가지게 되었고, 초등학교 때부터 축구를 본격적으로 시작하게 되었어요. 특히, 초등학교 때 지역 축구 대회에서 우승하면서 프로 축구 선수가 되겠다는 꿈을 가지게 되었어요."

이지해 작가: "어렸을 때부터 축구를 좋아했군요. 그 후로 축구에 대해 어떻게 훈련해왔나요?"

준서: "학교 축구팀에 들어가서 훈련을 받기 시작했어요. 방과 후에는 축구장을 찾아가 연습을 했고, 주말에는 클럽 팀에서 훈련을 받았어요. 또한, 축구 관련 서적과 영상을 통해 축구 전술과 기술을 배우며 실력을 키웠어요."

이지해 작가: "준서 씨, 많은 사람들이 꿈을 찾지 못해서 고민하는데, 어떻게 프로 축구 선수라는 꿈을 확신하게 되었나요?"

준서: "처음에는 단순히 축구를 좋아해서 시작했어요. 그런데 지역 축구 대회에서 우승한 후, 더 큰 무대에서 뛰고 싶다는 열망이 생겼어요. 그리고 축구 경기를 보면서, 저도 프로 선수처럼 뛰고 싶다는 강한 열망이 생겼죠."

이지해 작가: "그 열망이 큰 동기부여가 되었군요. 그 과정에서 가장 도움이 되었던 경험은 무엇이었나요?"

준서: "지역 축구 대회에서 우승한 경험이 가장 큰 도움이 되었어요. 그때의 성취감이 계속 도전하게 만드는 원동력이 되었죠. 그리고 클럽 팀에서의 훈련과 다양한 대회에서의 경험이 제 실력을 키우는 데 큰 도움이 되었어요."

이지해 작가: "주변의 지지와 다양한 활동이 큰 도움이 되었군요. 준서 씨의 꿈을 지지해주는 사람들은 누구인가요?"

준서: "가족들이 항상 응원해주셨어요. 특히, 아버지께서 축구 경기를 같이 보면서 많은 조언을 해주셨죠. 그리고 학교 축구팀 코치님과 클럽 팀 감독님도 많은 도움을 주셨어요. 그들은 제게 다양한 훈련 방법을 제시해주셨고, 대회 참가를 적극적으로 지원해주셨어요."

이지해 작가: "주변의 지지와 응원이 큰 힘이 되었군요. 그렇다면, 준서 씨가 꿈을 실현하기 위해 현재 실천하고 있는 구체적인 행동들이 무엇인가요?"

준서: "매일 방과 후에 축구장을 찾아가 연습을 하고, 주말에는 클럽 팀에서 훈련을 받고 있어요. 또한, 축구 전술과 기술을 배우기 위해 축구 관련 서적과 영상을 많이 보고 있어요. 그리고 체력 관리를 위해 규칙적인 운동과 식단 관리도 철저히 하고 있어요."

이지해 작가: "정말 꾸준히 노력하고 있군요. 프로 축구 선수가 되기 위해 어떤 조언을 해주고 싶나요?"

준서: "자신을 믿고 끊임없이 도전하는 것이 중요하다고 생각해요.

실패하더라도 포기하지 않고 계속 노력하는 자세가 필요해요. 그리고 다양한 경험을 쌓으며 자신의 시야를 넓히는 것이 중요해요."

이지해 작가: "준서 씨, 훌륭한 조언이에요. 저도 몇 가지 조언을 덧붙이고 싶어요. 먼저, 꾸준히 훈련하는 것은 정말 중요해요. 매일 일정한 시간에 훈련을 하고, 목표를 세우는 것이 필요하죠. 예를 들어, 이번 시즌에는 특정 기록을 달성하겠다는 목표를 세우면 도움이 될 거예요."

"또한, 다양한 대회에 참여하며 자신의 경험을 쌓는 것도 중요해요. 그렇게 하면 새로운 영감을 얻을 수 있고, 자신만의 목표를 설정하는 데 도움이 될 거예요."

"그리고 팀워크도 중요해요. 축구는 혼자 하는 운동이 아니기 때문에, 팀원들과의 협력과 소통이 중요해요. 이러한 모든 노력들이 모여서 꿈을 이루는 데 큰 도움이 될 거예요."

준서: "정말 감사합니다, 작가님. 말씀해주신 조언을 꼭 실천해 볼게요. 더 열심히 노력해서 훌륭한 프로 축구 선수가 되겠습니다."

이지해 작가: "마지막으로, 준서 씨에게 힘이 되고 영감을 주는 인용구를 하나 소개해줄래요?"

준서: "'축구는 단순한 운동이 아니다. 그것은 열정이다.' - 펠레. 이 말을 항상 마음에 새기고 있어요."

이지해 작가: "정말 멋진 말이네요. 준서 씨의 꿈을 응원합니다. 항상 긍정적인 마음가짐을 잊지 말고, 꾸준히 노력하세요!"

## 피트니스 트레이너를 꿈꾸는 직장인(영민)

이지해 작가: "안녕하세요, 영민 씨. 직장 생활을 하면서도 피트니스 트레이너라는 꿈을 가지고 있다고 들었어요. 언제부터 그런 꿈을 가지게 되었나요?"

영민: "안녕하세요, 작가님. 몇 년 전부터 운동을 시작하면서 피트니스에 대한 관심이 생겼어요. 처음에는 건강을 위해 시작했지만, 점점 운동의 매력에 빠지게 되었어요. 특히, 주변 사람들에게 운동을 가르치고 도와주면서 피트니스 트레이너가 되겠다는 꿈을 가지게 되었어요."

이지해 작가: "운동을 통해 건강을 찾으면서 꿈도 찾게 되었군요. 그 후로 피트니스에 대해 어떻게 공부해왔나요?"

영민: "피트니스 관련 자격증을 따기 위해 공부를 시작했어요. 퇴근 후나 주말에는 체육관에서 다양한 운동을 배우고, 온라인 강좌를 통해 이론을 공부했어요. 또한, 피트니스 관련 서적을 읽으며 지식을 쌓았고, 여러 피트니스 대회에 참가하면서 경험을 쌓았어요."

이지해 작가: "영민 씨, 많은 사람들이 꿈을 찾지 못해서 고민하는데, 어떻게 피트니스 트레이너라는 꿈을 확신하게 되었나요?"

영민: "처음에는 단순히 건강을 위해 운동을 시작했어요. 그런데 주변 사람들에게 운동을 가르치면서 그들이 변화하는 모습을 보며 보람을 느꼈죠. 그래서 피트니스 트레이너가 되어 더 많은 사람들을 도와주고 싶다는 생각이 들었어요."

이지해 작가: "주변 사람들의 변화가 큰 동기부여가 되었군요. 그 과정에서 가장 도움이 되었던 경험은 무엇이었나요?"

영민: "처음으로 친구에게 운동을 가르치고, 그 친구가 체중을 감량하고 건강해진 모습을 보았을 때가 가장 기억에 남아요. 그때의 보람이 계속 도전하게 만드는 원동력이 되었어요. 그리고 피트니스 대회에 참가하면서 많은 것을 배우고, 자신감을 키울 수 있었어요."

이지해 작가: "주변의 지지와 다양한 활동이 큰 도움이 되었군요. 영민 씨의 꿈을 지지해주는 사람들은 누구인가요?"

영민: "가족과 친구들이 항상 응원해주셨어요. 특히, 체육관의 트레이너 선생님들이 많은 도움을 주셨어요. 그들은 제게 다양한 운동 방법을 가르쳐주셨고, 자격증 취득을 위한 조언도 아끼지 않으셨어요."

이지해 작가: "주변의 지지와 응원이 큰 힘이 되었군요. 그렇다면, 영민 씨가 꿈을 실현하기 위해 현재 실천하고 있는 구체적인 행동들이 무엇인가요?"

영민: "퇴근 후와 주말마다 체육관에 가서 운동을 하고, 피트니스 관련 자격증 공부를 하고 있어요. 또한, 온라인 강좌를 통해 이론을 배우고, 피트니스 관련 서적을 읽으며 지식을 쌓고 있어요. 그리고 여러 피트니스 대회에 참가하며 실전 경험을 쌓고 있습니다."

이지해 작가: "정말 꾸준히 노력하고 있군요. 피트니스 트레이너가 되기 위해 어떤 조언을 해주고 싶나요?"

영민: "자신을 믿고 끊임없이 도전하는 것이 중요하다고 생각해요. 실패하더라도 포기하지 않고 계속 노력하는 자세가 필요해요. 그리고 다양한 경험을 쌓으며 자신의 시야를 넓히는 것이 중요해요."

이지해 v작가: "영민 씨, 훌륭한 조언이에요. 저도 몇 가지 조언을 덧붙이고 싶어요. 먼저, 꾸준히 운동하는 것은 정말 중요해요. 매일 일정한 시간에 운동을 하고, 목표를 세우는 것이 필요하죠. 예를 들어, 이번 달에는 특정 운동을 완벽하게 마스터하겠다는 목표를 세우면 도움이 될 거예요."

"또한, 다양한 피트니스 대회에 참여하며 자신의 경험을 쌓는 것도 중요해요. 그렇게 하면 새로운 영감을 얻을 수 있고, 자신만의 목표를 설정하는 데 도움이 될 거예요."

"그리고 건강 관리도 중요해요. 규칙적인 운동과 함께 식단 관리도 철저히 해야 해요. 이러한 모든 노력들이 모여서 꿈을 이루는 데 큰 도움이 될 거예요."

영민: "정말 감사합니다, 작가님. 말씀해주신 조언을 꼭 실천해 볼게요. 더 열심히 노력해서 훌륭한 피트니스 트레이너가 되겠습니다."

이지해 작가: "마지막으로, 영민 씨에게 힘이 되고 영감을 주는 인용구를 하나 소개해줄래요?"

영민: "'건강은 최고의 재산이다.' - 히포크라테스. 이 말을 항상 마음에 새기고 있어요."

이지해 작가: "정말 멋진 말이네요. 영민 씨의 꿈을 응원합니다. 항상 긍정적인 마음가짐을 잊지 말고, 꾸준히 노력하세요!"

제 4 장

# 사회와 봉사의 꿈

NGO 활동가, 사회복지사, 변호사를 꿈꾸는 사람들의 이야기를 통해, 사회적 문제 해결과 봉사의 중요성을 강조합니다. 각자의 꿈을 향한 노력과 헌신이 어떻게 사회를 더 나은 곳으로 만드는지 보여줍니다.

## NGO 활동가를 꿈꾸는 대학생(민정)

이지해 작가: "안녕하세요, 민정 씨. NGO 활동가가 되겠다는 꿈을 가지게 된 특별한 계기가 있나요?"

민정: "안녕하세요, 작가님. 고등학교 때 해외 봉사활동을 다녀온 후로 NGO 활동에 관심을 가지게 되었어요. 현지에서 많은 사람들을 도우며 큰 보람을 느꼈고, 그때부터 NGO 활동가가 되어 더 많은 사람들에게 도움을 주고 싶다는 꿈을 꾸게 되었어요."

이지해 작가: "해외 봉사활동이 큰 영향을 주었군요. 그 후로 NGO 활동에 대해 어떻게 공부해왔나요?"

민정: "대학에서 사회학과 국제개발학을 전공하고 있어요. 수업 외에도 다양한 NGO 활동에 참여하며 실무 경험을 쌓고 있어요. 또한, 관련 서적을 읽고, 전문가들과의 만남을 통해 지식을 넓히고 있습니다."

이지해 작가: "민정 씨, 많은 사람들이 꿈을 찾지 못해서 고민하는데, 어떻게 NGO 활동가라는 꿈을 확신하게 되었나요?"

민정: "처음에는 단순히 봉사활동이 좋아서 시작했어요. 그런데 해외 봉사활동을 다녀온 후, 더 많은 사람들에게 도움을 주고 싶다는 열망이 생겼어요. 그리고 대학에서 배운 지식을 현장에서 적용해보면서 NGO 활동가가 되겠다는 꿈이 확신으로 변했죠."

이지해 작가: "해외 봉사활동과 학습이 큰 동기부여가 되었군요. 그 과정에서 가장 도움이 되었던 경험은 무엇이었나요?"

민정: "해외 봉사활동에서 만난 사람들과의 교류가 가장 큰 도움이 되었어요. 그들의 이야기를 들으며 많은 것을 배우고, 제 꿈을 더욱 확고히 할 수 있었어요. 그리고 다양한 NGO 활동에 참여하며 실무 경험을 쌓은 것도 큰 도움이 되었어요."

이지해 작가: "주변의 지지와 다양한 활동이 큰 도움이 되었군요. 민정 씨의 꿈을 지지해주는 사람들은 누구인가요?"

민정: "가족과 친구들이 항상 응원해주셨어요. 특히, 대학에서 만난 교수님과 동료들이 많은 도움을 주셨어요. 그들은 제게 다양한 활동을 소개해주고, 현장에서 필요한 지식과 경험을 쌓을 수 있도록 도와주셨어요."

이지해 작가: "주변의 지지와 응원이 큰 힘이 되었군요. 그렇다면, 민정 씨가 꿈을 실현하기 위해 현재 실천하고 있는 구체적인 행동들이 무엇인가요?"

민정: "매주 최소 한 번은 NGO 활동에 참여하고 있어요. 또한, 관련 서적을 읽고, 강연을 들으며 지식을 쌓고 있어요. 방학 때는 해외 봉사활동에 참가해서 현장 경험을 쌓으려고 노력하고 있어요."

이지해 작가: "정말 꾸준히 노력하고 있군요. NGO 활동가가 되기 위해 어떤 조언을 해주고 싶나요?"

민정: "자신을 믿고 끊임없이 도전하는 것이 중요하다고 생각해요. 실패하더라도 포기하지 않고 계속 노력하는 자세가 필요해요. 그리고 다양한 경험을 쌓으며 자신의 시야를 넓히는 것이 중요해요."

이지해 작가: "민정 씨, 훌륭한 조언이에요. 저도 몇 가지 조언을 덧붙이고 싶어요. 먼저, 꾸준히 활동하는 것은 정말 중요해요. 매주 일정한 시간에 활동을 하고, 목표를 세우는 것이 필요하죠. 예를 들어, 이번 학기에는 특정 프로젝트를 성공적으로 마무리하겠다는 목표를 세우면 도움이 될 거예요."

"또한, 다양한 봉사활동에 참여하며 자신의 경험을 쌓는 것도 중요해요. 그렇게 하면 새로운 영감을 얻을 수 있고, 자신만의 목표를 설정하는 데 도움이 될 거예요."

"그리고 네트워크를 넓히는 것도 필요해요. 다양한 사람들과 교류하며 지식을 공유하고, 협력할 수 있는 기회를 만드는 것이 중요해요. 이러한 모든 노력들이 모여서 꿈을 이루는 데 큰 도움이 될 거예요."

민정: "정말 감사합니다, 작가님. 말씀해주신 조언을 꼭 실천해 볼게요. 더 열심히 노력해서 훌륭한 NGO 활동가가 되겠습니다."

이지해 작가: "마지막으로, 민정 씨에게 힘이 되고 영감을 주는 인용구를 하나 소개해줄래요?"

민정: "'세상을 변화시키는 가장 강력한 무기는 교육이다.' - 넬슨 만델라. 이 말을 항상 마음에 새기고 있어요."

이지해 작가: "정말 멋진 말이네요. 민정 씨의 꿈을 응원합니다. 항상 긍정적인 마음가짐을 잊지 말고, 꾸준히 노력하세요!"

## 사회복지사를 꿈꾸는 직장인(서연)

이지해 작가: "안녕하세요, 서연 씨. 사회복지사가 되겠다는 꿈을 가지게 된 특별한 계기가 있나요?"

서연: "안녕하세요, 작가님. 몇 년 전부터 봉사활동을 하면서 사회복지에 관심을 가지게 되었어요. 처음에는 단순히 시간을 보내기 위해 시작했지만, 점점 사람들을 돕는 것에 보람을 느끼게 되었고, 사회복지사가 되어 더 많은 사람들을 돕고 싶다는 꿈을 가지게 되었어요."

이지해 작가: "봉사활동이 큰 영향을 주었군요. 그 후로 사회복지에 대해 어떻게 공부해왔나요?"

서연: "퇴근 후나 주말에는 사회복지 관련 서적을 읽고, 온라인 강좌를 통해 이론을 공부했어요. 또한, 다양한 사회복지 기관에서 자원봉사를 하며 실무 경험을 쌓고 있어요. 자격증을 따기 위해 공부도 하고 있습니다."

이지해 작가: "서연 씨, 많은 사람들이 꿈을 찾지 못해서 고민하는데, 어떻게 사회복지사라는 꿈을 확신하게 되었나요?"

서연: "처음에는 단순히 봉사활동이 좋아서 시작했어요. 그런데 사람들을 도우면서 그들의 삶이 조금씩 나아지는 모습을 보며 큰 보람을 느꼈어요. 그래서 사회복지사가 되어 더 많은 사람들을 돕고 싶다는 생각이 들었어요."

이지해 작가: "주변 사람들의 변화가 큰 동기부여가 되었군요. 그 과정에서 가장 도움이 되었던 경험은 무엇이었나요?"

서연: "처음으로 지역 복지관에서 자원봉사를 하면서, 도움이 필요한 사람들에게 실제로 도움을 줄 수 있었을 때가 가장 기억에 남아요. 그들의 감사한 표정을 보며 더 열심히 해야겠다는 결심을 하게 되었어요."

이지해 작가: "주변의 지지와 다양한 활동이 큰 도움이 되었군요. 서연 씨의 꿈을 지지해주는 사람들은 누구인가요?"

서연: "가족과 친구들이 항상 응원해주셨어요. 특히, 지역 복지관의 사회복지사 선생님들이 많은 도움을 주셨어요. 그들은 제게 다양한 사례를 소개해주고, 실제 현장에서 필요한 지식과 기술을 가르쳐주셨어요."

이지해 작가: "주변의 지지와 응원이 큰 힘이 되었군요. 그렇다면, 서연 씨가 꿈을 실현하기 위해 현재 실천하고 있는 구체적인 행동들이 무엇인가요?"

서연: "퇴근 후와 주말마다 사회복지 관련 서적을 읽고, 자원봉사를 하며 실무 경험을 쌓고 있어요. 또한, 온라인 강좌를 통해 이론을 배우고, 자격증을 따기 위해 공부하고 있습니다."

이지해 작가: "정말 꾸준히 노력하고 있군요. 사회복지사가 되기 위해 어떤 조언을 해주고 싶나요?"

서연: "자신을 믿고 끊임없이 도전하는 것이 중요하다고 생각해요. 실패하더라도 포기하지 않고 계속 노력하는 자세가 필요해요. 그리고 다양한 경험을 쌓으며 자신의 시야를 넓히는 것이 중요해요."

이지해 작가: "서연 씨, 훌륭한 조언이에요. 저도 몇 가지 조언을 덧붙이고 싶어요. 먼저, 꾸준히 공부하는 것은 정말 중요해요. 매일 일정한 시간에 공부를 하고, 목표를 세우는 것이 필요하죠. 예를 들어, 이번 달에는 특정 분야의 자격증을 따겠다는 목표를 세우면 도움이 될 거예요."

"또한, 다양한 자원봉사 활동에 참여하며 자신의 경험을 쌓는 것도 중요해요. 그렇게 하면 새로운 영감을 얻을 수 있고, 자신만의 목표를 설정하는 데 도움이 될 거예요."

"그리고 네트워크를 넓히는 것도 필요해요. 다양한 사람들과 교류하며 지식을 공유하고, 협력할 수 있는 기회를 만드는 것이 중요해요. 이러한 모든 노력들이 모여서 꿈을 이루는 데 큰 도움이 될 거예요."

서연: "정말 감사합니다, 작가님. 말씀해주신 조언을 꼭 실천해 볼게요. 더 열심히 노력해서 훌륭한 사회복지사가 되겠습니다."

이지해 작가: "마지막으로, 서연 씨에게 힘이 되고 영감을 주는 인용구를 하나 소개해줄래요?"

서연: "'우리는 우리가 도울 수 있는 만큼 인간이다.' - 알베르트 슈바이처. 이 말을 항상 마음에 새기고 있어요."

이지해 작가: "정말 멋진 말이네요. 서연 씨의 꿈을 응원합니다. 항상 긍정적인 마음가짐을 잊지 말고, 꾸준히 노력하세요!"

## 변호사를 꿈꾸는 고등학생(승민)

이지해 작가: "안녕하세요, 승민 씨. 변호사가 되겠다는 꿈을 가지게 된 특별한 계기가 있나요?"

승민: "안녕하세요, 작가님. 어렸을 때부터 법에 대한 흥미가 많았어요. 특히, 부모님이 보여주신 법정 드라마를 보면서 변호사라는 직업에 대해 관심을 가지게 되었어요. 중학교 때 친구의 억울한 일을 돕기 위해 직접 조사하고 문제를 해결한 경험이 변호사가 되겠다는 꿈을 더욱 확고하게 만들었어요."

이지해 작가: "법정 드라마와 실제 경험이 큰 영향을 주었군요. 그 후로 법에 대해 어떻게 공부해왔나요?"

승민: "고등학교에서 법 관련 동아리에 가입해서 활동하고 있어요. 또한, 방과 후에는 법학 서적을 읽고, 모의 재판에 참가하며 실력을 키우고 있어요. 주말에는 법률 관련 강연을 듣고, 실제 변호사들을 만나며 조언을 구하고 있습니다."

이지해 작가: "승민 씨, 많은 사람들이 꿈을 찾지 못해서 고민하는데, 어떻게 변호사라는 꿈을 확신하게 되었나요?"

승민: "처음에는 단순히 법에 대한 흥미로 시작했어요. 그런데 친구의 억울한 일을 돕고 나서, 정의를 실현하고 사람들을 돕는 변호사가 되고 싶다는 확신이 생겼어요. 그리고 모의 재판에 참가하면서 변호사로서의 역할을 실제로 경험해보며 꿈이 더욱 확고해졌어요."

이지해 작가: "친구를 돕는 경험이 큰 동기부여가 되었군요. 그 과정에서 가장 도움이 되었던 경험은 무엇이었나요?"

승민: "모의 재판에 참가한 경험이 가장 큰 도움이 되었어요. 실제 법정처럼 진행되는 모의 재판에서 변호사 역할을 맡아, 사건을 조사하고 변론하는 과정을 통해 많은 것을 배울 수 있었어요."

이지해 작가: "주변의 지지와 다양한 활동이 큰 도움이 되었군요. 승민 씨의 꿈을 지지해주는 사람들은 누구인가요?"

승민: "가족과 친구들이 항상 응원해주셨어요. 특히, 학교 법학 선생님과 모의 재판 동아리 친구들이 많은 도움을 주셨어요. 선생님은 제게 다양한 법률 서적을 추천해주셨고, 친구들은 함께 연습하며 부족한 부분을 보완해주었어요."

이지해 작가: "주변의 지지와 응원이 큰 힘이 되었군요. 그렇다면, 승민 씨가 꿈을 실현하기 위해 현재 실천하고 있는 구체적인 행동들이 무엇인가요?"

승민: "방과 후에 법학 서적을 읽고, 모의 재판 동아리 활동을 통해 실력을 키우고 있어요. 또한, 주말에는 법률 관련 강연을 듣고, 실제 변호사들을 만나며 조언을 구하고 있습니다. 그리고 다양한 법률 관련 문제를 직접 조사하고 분석하며 공부하고 있어요."

이지해 작가: "정말 꾸준히 노력하고 있군요. 변호사가 되기 위해 어떤 조언을 해주고 싶나요?"

승민: "자신을 믿고 끊임없이 도전하는 것이 중요하다고 생각해요. 실패하더라도 포기하지 않고 계속 노력하는 자세가 필요해요. 그리고 다양한 경험을 쌓으며 자신의 시야를 넓히는 것이 중요해요."

이지해 작가: "승민 씨, 훌륭한 조언이에요. 저도 몇 가지 조언을 덧붙이고 싶어요. 먼저, 꾸준히 공부하는 것은 정말 중요해요. 매일 일정한 시간에 공부를 하고, 목표를 세우는 것이 필요하죠. 예를 들어, 이번 학기에는 특정 법률 문제를 완벽하게 이해하겠다는 목표를 세우면 도움이 될 거예요."

"또한, 다양한 모의 재판에 참여하며 자신의 경험을 쌓는 것도 중요해요. 그렇게 하면 새로운 영감을 얻을 수 있고, 자신만의 목표를 설정하는 데 도움이 될 거예요."

"그리고 네트워크를 넓히는 것도 필요해요. 다양한 사람들과 교류하며 지식을 공유하고, 협력할 수 있는 기회를 만드는 것이 중요해요. 이러한 모든 노력들이 모여서 꿈을 이루는 데 큰 도움이 될 거예요."

승민: "정말 감사합니다, 작가님. 말씀해주신 조언을 꼭 실천해 볼게요. 더 열심히 노력해서 훌륭한 변호사가 되겠습니다."

이지해 작가: "마지막으로, 승민 씨에게 힘이 되고 영감을 주는 인용구를 하나 소개해줄래요?"

승민: "'정의는 용기 있는 자의 편에 선다.' - 아리스토텔레스. 이 말을 항상 마음에 새기고 있어요."

이지해 작가: "정말 멋진 말이네요. 승민 씨의 꿈을 응원합니다. 항상 긍정적인 마음가짐을 잊지 말고, 꾸준히 노력하세요!"

제 5 장

# 비즈니스와 창업의 꿈

스타트업 CEO, 패션 디자이너 겸 창업가, 소셜 미디어 인플루언서를 꿈꾸는 이들이 열정과 창의성으로 자신의 비즈니스를 시작하고 성장시키는 이야기를 나눕니다. 도전과 실패를 두려워하지 않고 끊임없이 혁신하며 목표를 달성하는 과정을 통해 비즈니스 성공의 비결을 배우게 됩니다.

## 스타트업 CEO를 꿈꾸는 직장인(상현)

이지해 작가: "안녕하세요, 상현 씨. 스타트업 CEO가 되겠다는 꿈을 가지게 된 특별한 계기가 있나요?"

상현: "안녕하세요, 작가님. 몇 년 전, 친구와 함께 아이디어를 나누던 중에 창업에 대한 관심이 생겼어요. 처음에는 단순한 호기심에서 시작했지만, 실제로 비즈니스 모델을 구상하고 시장 조사를 하면서 점점 꿈이 확고해졌어요."

이지해 작가: "아이디어가 시작이었군요. 그 후로 창업에 대해 어떻게 준비해왔나요?"

상현: "퇴근 후나 주말에 창업 관련 서적을 읽고, 온라인 강좌를 통해 경영과 마케팅을 공부했어요. 또한, 창업 관련 세미나와 워크숍에 참가하며 네트워크를 넓히고, 다양한 창업자들의 이야기를 들으며 많은 영감을 받았어요."

이지해 작가: "상현 씨, 많은 사람들이 꿈을 찾지 못해서 고민하는데, 어떻게 스타트업 CEO라는 꿈을 확신하게 되었나요?"

상현: "처음에는 단순한 아이디어에서 시작했지만, 창업 관련 세미나와 워크숍에서 만난 사람들과의 대화를 통해 확신이 생겼어요. 특히, 성공한 창업자들의 이야기를 들으면서 저도 할 수 있다는 자신감이 생겼어요."

이지해 작가: "세미나와 네트워킹이 큰 도움이 되었군요. 그 과정에서 가장 도움이 되었던 경험은 무엇이었나요?"

상현: "창업 아이디어 경진대회에 참가했던 경험이 가장 큰 도움이 되었어요. 그곳에서 멘토들의 피드백을 받고, 다양한 아이디어를 접하면서 제 아이디어를 구체화할 수 있었어요. 또한, 다양한 투자자들을 만나면서 실질적인 조언을 들을 수 있었어요."

이지해 작가: "주변의 지지와 다양한 활동이 큰 도움이 되었군요. 상현 씨의 꿈을 지지해주는 사람들은 누구인가요?"

상현: "가족과 친구들이 항상 응원해주셨어요. 특히, 창업 관련 네트워킹 모임에서 만난 멘토들이 많은 도움을 주셨어요. 그들은 제게 다양한 조언을 해주고, 실제 비즈니스 운영에 필요한 지식과 기술을 가르쳐주셨어요."

이지해 작가: "주변의 지지와 응원이 큰 힘이 되었군요. 그렇다면, 상현 씨가 꿈을 실현하기 위해 현재 실천하고 있는 구체적인 행동들이 무엇인가요?"

상현: "매일 퇴근 후와 주말에 비즈니스 모델을 구체화하고, 시장 조사를 하고 있어요. 또한, 창업 관련 서적을 읽고, 온라인 강좌를 통해 경영과 마케팅을 공부하고 있어요. 그리고 네트워킹 모임에 자주 참가해서 다양한 사람들과 교류하며 아이디어를 발전시키고 있습니다."

이지해 작가: "정말 꾸준히 노력하고 있군요. 스타트업 CEO가 되기 위해 어떤 조언을 해주고 싶나요?"

상현: "자신을 믿고 끊임없이 도전하는 것이 중요하다고 생각해요. 실패하더라도 포기하지 않고 계속 노력하는 자세가 필요해요. 그리고 다양한 경험을 쌓으며 자신의 시야를 넓히는 것이 중요해요."

이지해 작가: "상현 씨, 훌륭한 조언이에요. 저도 몇 가지 조언을 덧붙이고 싶어요. 먼저, 꾸준히 연구하고 학습하는 것은 정말 중요해요. 매일 일정한 시간에 공부를 하고, 목표를 세우는 것이 필요하죠. 예를 들어, 이번 달에는 특정 비즈니스 모델을 완벽하게 이해하겠다는 목표를 세우면 도움이 될 거예요."

"또한, 다양한 네트워킹 모임에 참여하며 자신의 경험을 쌓는 것도 중요해요. 그렇게 하면 새로운 영감을 얻을 수 있고, 자신만의 목표를 설정하는 데 도움이 될 거예요."

"그리고 시장 조사를 철저히 하는 것도 필요해요. 고객의 니즈를 파악하고, 경쟁사를 분석하며 자신만의 차별화된 전략을 세우는 것이 중요해요. 이러한 모든 노력들이 모여서 꿈을 이루는 데 큰 도움이 될 거예요."

상현: "정말 감사합니다, 작가님. 말씀해주신 조언을 꼭 실천해 볼게요. 더 열심히 노력해서 훌륭한 스타트업 CEO가 되겠습니다."

이지해 작가: "마지막으로, 상현 씨에게 힘이 되고 영감을 주는 인용구를 하나 소개해줄래요?"

상현: "'혁신은 리더와 추종자를 구분하는 기준이다.' - 스티브 잡스. 이 말을 항상 마음에 새기고 있어요."

이지해 작가: "정말 멋진 말이네요. 상현 씨의 꿈을 응원합니다. 항상 긍정적인 마음가짐을 잊지 말고, 꾸준히 노력하세요!"

## 패션 디자이너 겸 창업가를 꿈꾸는 대학생(예진)

이지해 작가: "안녕하세요, 예진 씨. 패션 디자이너 겸 창업가가 되겠다는 꿈을 가지게 된 특별한 계기가 있나요?"

예진: "안녕하세요, 작가님. 어렸을 때부터 옷을 만드는 것을 좋아했어요. 특히, 어머니께서 가르쳐주신 바느질을 시작으로 패션에 대한 관심이 생겼죠. 대학에 들어와 패션 디자인을 전공하면서 자신만의 브랜드를 만들고 싶다는 꿈을 가지게 되었어요."

이지해 작가: "어머니의 영향이 컸군요. 그 후로 패션 디자인과 창업에 대해 어떻게 준비해왔나요?"

예진: "대학에서 패션 디자인을 전공하면서 다양한 디자인 기술을 배우고, 패션 관련 서적을 읽으며 공부했어요. 또한, 패션쇼와 디자인 경진대회에 참가하며 경험을 쌓았고, 온라인 마켓에서 자신의 작품을 판매하며 창업을 준비하고 있어요."

이지해 작가: "예진 씨, 많은 사람들이 꿈을 찾지 못해서 고민하는데, 어떻게 패션 디자이너 겸 창업가라는 꿈을 확신하게 되었나요?"

예진: "처음에는 단순히 옷을 만드는 것이 재미있어서 시작했어요. 그런데 대학에서 배운 지식을 바탕으로 실제로 옷을 디자인하고 판매해보면서, 더 많은 사람들에게 제 디자인을 알리고 싶다는 열망이 생겼어요. 특히, 첫 패션쇼에서 많은 사람들의 긍정적인 피드백을 받으면서 확신이 생겼어요."

이지해 작가: "패션쇼와 판매 경험이 큰 동기부여가 되었군요. 그 과정에서 가장 도움이 되었던 경험은 무엇이었나요?"

예진: "첫 패션쇼에 참가한 경험이 가장 큰 도움이 되었어요. 그때 많은 사람들의 피드백을 받으며 제 디자인을 개선할 수 있었고, 자신감을 얻을 수 있었어요. 또한, 온라인 마켓에서의 판매 경험을 통해 실제 고객들의 반응을 보며 창업에 대한 감각을 익힐 수 있었어요."

이지해 작가: "주변의 지지와 다양한 활동이 큰 도움이 되었군요. 예진 씨의 꿈을 지지해주는 사람들은 누구인가요?"

예진: "가족과 친구들이 항상 응원해주셨어요. 특히, 대학의 교수님과 패션 동아리 친구들이 많은 도움을 주셨어요. 교수님은 제게 다양한 디자인 기술을 가르쳐주셨고, 친구들은 함께 협업하며 서로의 디자인을 개선해주었어요."

이지해 작가: "주변의 지지와 응원이 큰 힘이 되었군요. 그렇다면, 예진 씨가 꿈을 실현하기 위해 현재 실천하고 있는 구체적인 행동들이 무엇인가요?"

예진: "매일 디자인 스케치를 하고, 새로운 패션 트렌드를 연구하고 있어요. 또한, 온라인 마켓에서 자신의 작품을 판매하며 고객들의 피드백을 받고, 패션쇼와 디자인 경진대회에 참가하며 경험을 쌓고 있어요. 그리고 창업 관련 서적을 읽고, 관련 강의를 들으며 비즈니스 감각을 키우고 있습니다."

이지해 작가: "정말 꾸준히 노력하고 있군요. 패션 디자이너 겸 창업가가 되기 위해 어떤 조언을 해주고 싶나요?"

예진: "자신을 믿고 끊임없이 도전하는 것이 중요하다고 생각해요. 실패하더라도 포기하지 않고 계속 노력하는 자세가 필요해요. 그리고 다양한 경험을 쌓으며 자신의 시야를 넓히는 것이 중요해요."

이지해 작가: "예진 씨, 훌륭한 조언이에요. 저도 몇 가지 조언을 덧붙이고 싶어요. 먼저, 꾸준히 연구하고 학습하는 것은 정말 중요해요. 매일 일정한 시간에 디자인 작업을 하고, 목표를 세우는 것이 필요하죠. 예를 들어, 이번 달에는 새로운 컬렉션을 완성하겠다는 목표를 세우면 도움이 될 거예요."

"또한, 다양한 패션쇼와 디자인 경진대회에 참여하며 자신의 경험을 쌓는 것도 중요해요. 그렇게 하면 새로운 영감을 얻을 수 있고, 자신만의 목표를 설정하는 데 도움이 될 거예요."

"그리고 고객들의 피드백을 귀 기울여 듣는 것도 필요해요. 고객의 니즈를 파악하고, 그에 맞춰 디자인을 개선하는 것이 중요해요. 이러한 모든 노력들이 모여서 꿈을 이루는 데 큰 도움이 될 거예요."

예진: "정말 감사합니다, 작가님. 말씀해주신 조언을 꼭 실천해 볼게요. 더 열심히 노력해서 훌륭한 패션 디자이너 겸 창업가가 되겠습니다."

이지해 작가: "마지막으로, 예진 씨에게 힘이 되고 영감을 주는 인용구를 하나 소개해줄래요?"

예진: "'패션은 자신을 표현하는 수단이다.' - 조르지오 아르마니. 이 말을 항상 마음에 새기고 있어요."

이지해 작가: "정말 멋진 말이네요. 예진 씨의 꿈을 응원합니다. 항상 긍정적인 마음가짐을 잊지 말고, 꾸준히 노력하세요!"

## 소셜 미디어 인플루언서를 꿈꾸는 중학생(지유)

이지해 작가: "안녕하세요, 지유 씨. 소셜 미디어 인플루언서가 되겠다는 꿈을 가지게 된 특별한 계기가 있나요?"

지유: "안녕하세요, 작가님. 몇 년 전부터 유튜브와 인스타그램을 보면서 소셜 미디어에 관심이 생겼어요. 특히, 제가 좋아하는 인플루언서들이 자신의 이야기를 공유하고, 많은 사람들에게 영향을 주는 모습을 보면서 저도 그렇게 되고 싶다는 꿈을 가지게 되었어요."

이지해 작가: "소셜 미디어에서 영감을 받았군요. 그 후로 인플루언서가 되기 위해 어떻게 준비해왔나요?"

지유: "학교 생활과 병행하면서 소셜 미디어를 운영하고 있어요. 처음에는 간단한 일상 영상을 올리기 시작했고, 점점 다양한 콘텐츠를 기획하고 제작하고 있어요. 또한, 유명 인플루언서들의 채널을 분석하며 그들의 성공 비결을 배우고 있습니다."

이지해 작가: "지유 씨, 많은 사람들이 꿈을 찾지 못해서 고민하는데, 어떻게 소셜 미디어 인플루언서라는 꿈을 확신하게 되었나요?"

지유: "처음에는 단순히 재미로 시작했지만, 점점 제 영상을 좋아해주는 사람들이 늘어나면서 확신이 생겼어요. 특히, 처음으로 천 명의 팔로워를 달성했을 때 큰 자신감을 얻었어요. 그리고 사람들에게 긍정적인 영향을 줄 수 있다는 것이 큰 동기부여가 되었어요."

이지해 작가: "팔로워의 증가가 큰 동기부여가 되었군요. 그 과정에서 가장 도움이 되었던 경험은 무엇이었나요?"

지유: "처음으로 라이브 방송을 했을 때가 가장 도움이 되었어요. 팔로워들과 실시간으로 소통하면서 그들의 반응을 바로바로 볼 수 있었고, 그들의 피드백을 통해 콘텐츠를 개선할 수 있었어요. 또한, 다양한 챌린지와 협업 콘텐츠를 통해 더 많은 사람들에게 제 채널을 알릴 수 있었어요."

이지해 작가: "주변의 지지와 다양한 활동이 큰 도움이 되었군요. 지유 씨의 꿈을 지지해주는 사람들은 누구인가요?"

지유: "가족과 친구들이 항상 응원해주셨어요. 특히, 학교 친구들이 제 채널을 적극적으로 홍보해주고, 다양한 아이디어를 제안해주었어요. 그리고 소셜 미디어에서 만난 다른 인플루언서들도 많은 도움을 주셨어요. 그들과의 협업을 통해 많은 것을 배울 수 있었어요."

이지해 작가: "주변의 지지와 응원이 큰 힘이 되었군요. 그렇다면, 지유 씨가 꿈을 실현하기 위해 현재 실천하고 있는 구체적인 행동들이 무엇인가요?"

지유: "매일 일정한 시간에 영상을 촬영하고 편집하고 있어요. 또한, 다양한 콘텐츠를 기획하고, 팔로워들과 소통하며 그들의 니즈를 파악하려고 노력하고 있어요. 유명 인플루언서들의 채널을 분석하고, 그들의 성공 비결을 배우며 제 채널에 적용해보고 있습니다."

이지해 작가: "정말 꾸준히 노력하고 있군요. 소셜 미디어 인플루언서가 되기 위해 어떤 조언을 해주고 싶나요?"

지유: "자신을 믿고 끊임없이 도전하는 것이 중요하다고 생각해요. 실패하더라도 포기하지 않고 계속 노력하는 자세가 필요해요.

그리고 팔로워들의 피드백을 귀 기울여 듣고, 그에 맞춰 콘텐츠를 개선하는 것이 중요해요."

이지해 작가: "지유 씨, 훌륭한 조언이에요. 저도 몇 가지 조언을 덧붙이고 싶어요. 먼저, 꾸준히 콘텐츠를 제작하고 업로드하는 것은 정말 중요해요. 매일 일정한 시간에 영상을 올리고, 팔로워들과의 소통을 강화하는 것이 필요하죠. 예를 들어, 이번 달에는 특정 주제에 대한 영상을 완성하겠다는 목표를 세우면 도움이 될 거예요."

"또한, 다양한 콘텐츠를 시도하며 자신의 경험을 쌓는 것도 중요해요. 그렇게 하면 새로운 영감을 얻을 수 있고, 자신만의 스타일을 찾는 데 도움이 될 거예요."

"그리고 소셜 미디어에서의 네트워킹도 필요해요. 다른 인플루언서들과의 협업을 통해 더 많은 사람들에게 자신을 알리고, 다양한 경험을 쌓는 것이 중요해요. 이러한 모든 노력들이 모여서 꿈을 이루는 데 큰 도움이 될 거예요."

지유: "정말 감사합니다, 작가님. 말씀해주신 조언을 꼭 실천해 볼게요. 더 열심히 노력해서 훌륭한 소셜 미디어 인플루언서가 되겠습니다."

이지해 작가: "마지막으로, 지유 씨에게 힘이 되고 영감을 주는 인용구를 하나 소개해줄래요?"

지유: "'당신이 좋아하는 일을 하면, 당신은 결코 하루도 일하지 않은 것이다.' - 마크 트웨인. 이 말을 항상 마음에 새기고 있어요."

이지해 작가: "정말 멋진 말이네요. 지유 씨의 꿈을 응원합니다. 항상 긍정적인 마음가짐을 잊지 말고, 꾸준히 노력하세요!"

# 제 6 장 교육과 학문의 꿈

대학원생 현우, 직장인 은정, 고등학생 수빈은 교수, 초등학교 교사, 작가라는 꿈을 향해 꾸준히 노력하며, 지식과 열정을 쌓아가고 있습니다. 그들은 학습과 경험을 통해 끊임없이 성장하고, 자신의 꿈을 이루기 위해 각자의 길을 열심히 걸어가고 있습니다.

## 교수와 연구자를 꿈꾸는 대학원생(현우)

이지해 작가: "안녕하세요, 현우 씨. 교수와 연구자가 되겠다는 꿈을 가지게 된 특별한 계기가 있나요?"

현우: "안녕하세요, 작가님. 학부 시절부터 연구에 대한 흥미가 컸어요. 특히, 전공 수업에서 교수님의 연구를 접하면서 나도 연구를 통해 학문에 기여하고 싶다는 생각을 하게 되었죠. 그 후로 대학원에 진학해 본격적으로 연구에 몰두하게 되었어요."

이지해 작가: "교수님의 연구가 큰 영향을 주었군요. 그 후로 연구와 학문에 대해 어떻게 준비해왔나요?"

현우: "대학원에서는 연구 방법론을 깊이 배우고, 다양한 연구 프로젝트에 참여하면서 실무 경험을 쌓고 있어요. 또한, 학회와 세미나에 적극적으로 참여해 최신 연구 동향을 파악하고, 관련 논문을 꾸준히 읽고 있어요."

이지해 작가: "현우 씨, 많은 사람들이 꿈을 찾지 못해서 고민하는데, 어떻게 교수와 연구자라는 꿈을 확신하게 되었나요?"

현우: "처음에는 단순히 학문이 재미있어서 시작했어요. 그런데 학부 시절 교수님의 연구를 돕는 기회를 가지면서 학문적 발견의 기쁨을 알게 되었고, 더 깊이 연구하고 싶다는 열망이 생겼어요. 대학원에서 연구를 하면서 확신이 더욱 강해졌어요."

이지해 작가: "연구의 기쁨이 큰 동기부여가 되었군요. 그 과정에서 가장 도움이 되었던 경험은 무엇이었나요?"

현우: "첫 연구 논문이 학회에 발표된 경험이 가장 큰 도움이 되었어요. 그때 많은 연구자들의 피드백을 받으며 제 연구를 더욱 발전시킬 수 있었고, 자신감을 얻을 수 있었어요. 또한, 다양한 연구 프로젝트에 참여하며 실질적인 경험을 쌓은 것도 큰 도움이 되었어요."

이지해 작가: "주변의 지지와 다양한 활동이 큰 도움이 되었군요. 현우 씨의 꿈을 지지해주는 사람들은 누구인가요?"

현우: "가족과 지도 교수님이 가장 큰 지지자예요. 가족들은 항상 제 연구를 응원해주셨고, 교수님은 연구 방향을 잡아주시고 많은 조언을 해주셨어요. 또한, 연구실 동료들도 함께 고민을 나누고 협력하며 큰 도움을 주었어요."

이지해 작가: "주변의 지지와 응원이 큰 힘이 되었군요. 그렇다면, 현우 씨가 꿈을 실현하기 위해 현재 실천하고 있는 구체적인 행동들이 무엇인가요?"

현우: "매일 연구실에서 최소 6시간 이상 연구에 몰두하고 있어요. 또한, 관련 논문을 꾸준히 읽고, 새로운 연구 아이디어를 구상하며 실험을 진행하고 있어요. 학회와 세미나에 적극적으로 참여해 최신 연구 동향을 파악하고, 네트워킹을 통해 다양한 연구자들과 교류하고 있습니다."

이지해 작가: "정말 꾸준히 노력하고 있군요. 교수와 연구자가 되기 위해 어떤 조언을 해주고 싶나요?"

현우: "끊임없이 학습하고 연구하는 자세가 중요하다고 생각해요. 실패하더라도 포기하지 않고 계속 도전하는 것이 필요해요. 또한, 다양한 연구 프로젝트에 참여하며 실무 경험을 쌓는 것도 중요하다고 생각합니다."

이지해 작가: "현우 씨, 훌륭한 조언이에요. 저도 몇 가지 조언을 덧붙이고 싶어요. 먼저, 꾸준히 연구하고 학습하는 것은 정말 중요해요. 매일 일정한 시간에 연구를 하고, 목표를 세우는 것이 필요하죠. 예를 들어, 이번 학기에는 특정 연구 주제를 깊이 파고들겠다는 목표를 세우면 도움이 될 거예요."

"또한, 다양한 학회와 세미나에 참여하며 자신의 경험을 쌓는 것도 중요해요. 그렇게 하면 새로운 영감을 얻을 수 있고, 자신만의 연구 방향을 설정하는 데 도움이 될 거예요."

"그리고 네트워킹을 통해 다양한 연구자들과 교류하며 지식을 공유하는 것도 필요해요. 이러한 모든 노력들이 모여서 꿈을 이루는 데 큰 도움이 될 거예요."

현우: "정말 감사합니다, 작가님. 말씀해주신 조언을 꼭 실천해 볼게요. 더 열심히 노력해서 훌륭한 교수와 연구자가 되겠습니다."

이지해 작가: "마지막으로, 현우 씨에게 힘이 되고 영감을 주는 인용구를 하나 소개해줄래요?"

현우: "'지식은 무한한 탐구의 결과이다.' - 알베르트 아인슈타인. 이 말을 항상 마음에 새기고 있어요."

이지해 작가: "정말 멋진 말이네요. 현우 씨의 꿈을 응원합니다. 항상 긍정적인 마음가짐을 잊지 말고, 꾸준히 노력하세요!"

## 초등학교 교사를 꿈꾸는 직장인(은정)

이지해 작가: "안녕하세요, 은정 씨. 초등학교 교사가 되겠다는 꿈을 가지게 된 특별한 계기가 있나요?"

은정: "안녕하세요, 작가님. 어렸을 때부터 아이들을 좋아했어요. 대학 시절에는 교육 봉사활동을 하면서 아이들에게 가르치는 것에 큰 보람을 느꼈죠. 직장 생활을 하면서도 아이들을 가르치는 일을 하고 싶다는 생각이 커져서 교사가 되기로 결심했어요."

이지해 작가: "교육 봉사활동이 큰 영향을 주었군요. 그 후로 교사가 되기 위해 어떻게 준비해왔나요?"

은정: "퇴근 후와 주말에는 교육 관련 서적을 읽고, 자격증을 따기 위해 공부하고 있어요. 또한, 방학 때는 교육 봉사활동에 꾸준히 참여하며 아이들을 가르치는 경험을 쌓고 있어요. 최근에는 교육학 석사 과정을 시작해서 더 깊이 공부하고 있습니다."

이지해 작가: "은정 씨, 많은 사람들이 꿈을 찾지 못해서 고민하는데, 어떻게 초등학교 교사라는 꿈을 확신하게 되었나요?"

은정: "처음에는 아이들을 좋아해서 시작했어요. 그런데 교육 봉사활동을 하면서 아이들의 성장을 지켜보며 큰 보람을 느꼈고, 교사로서 아이들을 더 많이 도와주고 싶다는 확신이 생겼어요. 또한, 교육학을 공부하면서 교사로서의 역할에 대한 책임감을 느끼게 되었어요."

이지해 작가: "봉사활동과 학습이 큰 동기부여가 되었군요. 그 과정에서 가장 도움이 되었던 경험은 무엇이었나요?"

은정: "처음으로 교육 봉사활동을 했을 때의 경험이 가장 큰 도움이 되었어요. 아이들이 배우는 모습을 직접 보며 큰 보람을 느꼈고, 그들의 성장에 기여할 수 있다는 것이 큰 자극이 되었어요. 또한, 교육학을 공부하며 이론과 실무를 결합할 수 있었던 것도 큰 도움이 되었어요."

이지해 작가: "주변의 지지와 다양한 활동이 큰 도움이 되었군요. 은정 씨의 꿈을 지지해주는 사람들은 누구인가요?"

은정: "가족과 친구들이 항상 응원해주셨어요. 특히, 교육 봉사활동을 함께 했던 동료들과 교육학 교수님들이 많은 도움을 주셨어요. 그들은 제게 다양한 교육 방법을 소개해주고, 아이들을 가르치는 데 필요한 기술을 가르쳐주셨어요."

이지해 작가: "주변의 지지와 응원이 큰 힘이 되었군요. 그렇다면, 은정 씨가 꿈을 실현하기 위해 현재 실천하고 있는 구체적인 행동들이 무엇인가요?"

은정: "퇴근 후와 주말에는 교육 관련 서적을 읽고, 자격증을 따기 위해 공부하고 있어요. 또한, 방학 때는 교육 봉사활동에 꾸준히 참여하며 아이들을 가르치는 경험을 쌓고 있어요. 최근에는 교육학 석사 과정을 시작해서 더 깊이 공부하고 있습니다."

이지해 작가: "정말 꾸준히 노력하고 있군요. 초등학교 교사가 되기 위해 어떤 조언을 해주고 싶나요?"

은정: "끊임없이 학습하고 아이들을 사랑하는 마음이 중요하다고 생각해요. 실패하더라도 포기하지 않고 계속 도전하는 자세가

필요해요. 또한, 다양한 교육 방법을 배우며 자신의 교육 철학을 확립하는 것도 중요하다고 생각합니다."

이지해 작가: "은정 씨, 훌륭한 조언이에요. 저도 몇 가지 조언을 덧붙이고 싶어요. 먼저, 꾸준히 학습하는 것은 정말 중요해요. 매일 일정한 시간에 공부를 하고, 목표를 세우는 것이 필요하죠. 예를 들어, 이번 학기에는 특정 교육 방법을 마스터하겠다는 목표를 세우면 도움이 될 거예요."

"또한, 다양한 교육 봉사활동에 참여하며 자신의 경험을 쌓는 것도 중요해요. 그렇게 하면 새로운 영감을 얻을 수 있고, 자신만의 교육 철학을 설정하는 데 도움이 될 거예요."

"그리고 아이들을 사랑하는 마음을 항상 간직하는 것도 필요해요. 아이들은 교사의 사랑과 관심을 통해 성장하므로, 항상 따뜻한 마음으로 아이들을 대하는 것이 중요해요. 이러한 모든 노력들이 모여서 꿈을 이루는 데 큰 도움이 될 거예요."

은정: "정말 감사합니다, 작가님. 말씀해주신 조언을 꼭 실천해 볼게요. 더 열심히 노력해서 훌륭한 초등학교 교사가 되겠습니다."

이지해 작가: "마지막으로, 은정 씨에게 힘이 되고 영감을 주는 인용구를 하나 소개해줄래요?"

은정: "'교육은 세상을 바꾸는 가장 강력한 무기이다.' - 넬슨 만델라. 이 말을 항상 마음에 새기고 있어요."

이지해 작가: "정말 멋진 말이네요. 은정 씨의 꿈을 응원합니다. 항상 긍정적인 마음가짐을 잊지 말고, 꾸준히 노력하세요!"

## 작가가 되고 싶은 고등학생(수빈)

이지해 작가: "안녕하세요, 수빈 씨. 작가가 되겠다는 꿈을 가지게 된 특별한 계기가 있나요?"

수빈: "안녕하세요, 작가님. 어렸을 때부터 책 읽는 것을 좋아했어요. 특히, 문학 작품을 읽으면서 작가라는 직업에 관심을 가지게 되었죠. 중학교 때 처음으로 단편 소설을 써보면서, 나도 이야기를 창작하는 사람이 되고 싶다는 꿈을 가지게 되었어요."

이지해 작가: "문학 작품이 큰 영향을 주었군요. 그 후로 작가가 되기 위해 어떻게 준비해왔나요?"

수빈: "고등학교 문예부에 가입해서 글쓰기를 계속하고 있어요. 또한, 문학 서적을 많이 읽고, 글쓰기 워크숍에 참여하며 실력을 키우고 있어요. 주말에는 다양한 글쓰기 대회에 참가하며 경험을 쌓고, 글을 블로그에 올려 피드백을 받고 있습니다."

이지해 작가: "수빈 씨, 많은 사람들이 꿈을 찾지 못해서 고민하는데, 어떻게 작가라는 꿈을 확신하게 되었나요?"

수빈: "처음에는 단순히 책을 좋아해서 시작했어요. 그런데 중학교 때 단편 소설을 써보고 나서, 이야기를 창작하는 것이 너무 재미있고 보람 있다는 것을 알게 되었어요. 고등학교 문예부 활동과 글쓰기 대회를 통해 자신감을 얻으면서 작가가 되겠다는 꿈이 확신으로 변했어요."

이지해 작가: "글쓰기 경험이 큰 동기부여가 되었군요. 그 과정에서 가장 도움이 되었던 경험은 무엇이었나요?"

수빈: "첫 단편 소설이 문예 대회에서 수상한 경험이 가장 큰 도움이 되었어요. 그때 많은 사람들의 긍정적인 피드백을 받으며 제 글쓰기에 대한 자신감을 얻을 수 있었어요. 또한, 다양한 글쓰기 워크숍에 참여하며 많은 것을 배울 수 있었어요."

이지해 작가: "주변의 지지와 다양한 활동이 큰 도움이 되었군요. 수빈 씨의 꿈을 지지해주는 사람들은 누구인가요?"

수빈: "가족과 친구들이 항상 응원해주셨어요. 특히, 학교 문예부 선생님과 문예부 친구들이 많은 도움을 주셨어요. 선생님은 제 글을 봐주시고 피드백을 주셨고, 친구들은 함께 글을 쓰며 서로의 글을 보완해주었어요."

이지해 작가: "주변의 지지와 응원이 큰 힘이 되었군요. 그렇다면, 수빈 씨가 꿈을 실현하기 위해 현재 실천하고 있는 구체적인 행동들이 무엇인가요?"

수빈: "매일 일정한 시간에 글을 쓰고, 다양한 문학 서적을 읽고 있어요. 또한, 글쓰기 워크숍에 꾸준히 참여하며 실력을 키우고, 주말에는 글쓰기 대회에 참가하며 경험을 쌓고 있어요. 그리고 블로그에 글을 올려 많은 사람들의 피드백을 받고 있습니다."

이지해 작가: "정말 꾸준히 노력하고 있군요. 작가가 되기 위해 어떤 조언을 해주고 싶나요?"

수빈: "자신을 믿고 끊임없이 글을 쓰는 것이 중요하다고 생각해요. 실패하더라도 포기하지 않고 계속 도전하는 자세가 필요해요. 또한, 다양한 글을 읽고 쓰면서 자신의 글쓰기 스타일을 찾는 것이 중요하다고 생각합니다."

이지해 작가: "수빈 씨, 훌륭한 조언이에요. 저도 몇 가지 조언을 덧붙이고 싶어요. 먼저, 꾸준히 글을 쓰는 것은 정말 중요해요. 매일 일정한 시간에 글을 쓰고, 목표를 세우는 것이 필요하죠. 예를 들어, 이번 달에는 특정 주제에 대한 단편 소설을 완성하겠다는 목표를 세우면 도움이 될 거예요."

"또한, 다양한 문학 서적을 읽으며 자신의 글쓰기 스타일을 찾는 것도 중요해요. 그렇게 하면 새로운 영감을 얻을 수 있고, 자신만의 목소리를 찾는 데 도움이 될 거예요."

"그리고 피드백을 받는 것도 필요해요. 블로그나 워크숍을 통해 다른 사람들의 피드백을 듣고, 그에 맞춰 글을 개선하는 것이 중요해요. 이러한 모든 노력들이 모여서 꿈을 이루는 데 큰 도움이 될 거예요."

수빈: "정말 감사합니다, 작가님. 말씀해주신 조언을 꼭 실천해 볼게요. 더 열심히 노력해서 훌륭한 작가가 되겠습니다."

이지해 작가: "마지막으로, 수빈 씨에게 힘이 되고 영감을 주는 인용구를 하나 소개해줄래요?"

수빈: "'글쓰기는 생각을 표현하는 예술이다.' - 조지 오웰. 이 말을 항상 마음에 새기고 있어요."

이지해 작가: "정말 멋진 말이네요. 수빈 씨의 꿈을 응원합니다. 항상 긍정적인 마음가짐을 잊지 말고, 꾸준히 노력하세요!"

제 7 장

# 문화와 여행의 꿈

여행 작가, 국제 기자, 셰프를 꿈꾸는 사람들은 다양한 문화와 경험을 통해 자신의 꿈을 키워가고 있으며, 각자의 여정을 통해 지속적인 배움과 성장을 추구하고 있습니다. 이들의 이야기는 새로운 도전과 창의적인 노력의 중요성을 강조하며, 독자들에게 영감을 줍니다.

### 여행 작가를 꿈꾸는 직장인(하윤)

이지해 작가: "안녕하세요, 하윤 씨. 여행 작가가 되겠다는 꿈을 가지게 된 특별한 계기가 있나요?"

하윤: "안녕하세요, 작가님. 어렸을 때부터 부모님과 함께 여행을 많이 다녔어요. 다양한 문화와 사람들을 만나면서 자연스럽게 여행에 대한 흥미가 생겼죠. 직장 생활을 하면서도 여행을 멈추지 않았고, 여행 중의 경험을 글로 기록하면서 여행 작가가 되고 싶다는 꿈을 가지게 되었어요."

이지해 작가: "어렸을 때부터 여행을 많이 했군요. 그 후로 여행 작가가 되기 위해 어떻게 준비해왔나요?"

하윤: "퇴근 후와 주말에는 여행 관련 서적을 읽고, 유명한 여행 작가들의 글을 분석하며 글쓰기 실력을 키웠어요. 또한, 여행 중의 경험을 블로그에 올리며 독자들과 소통하고, 다양한 여행지에 대한 정보를 꾸준히 수집하고 있습니다."

이지해 작가: "하윤 씨, 많은 사람들이 꿈을 찾지 못해서 고민하는데, 어떻게 여행 작가라는 꿈을 확신하게 되었나요?"

하윤: "처음에는 단순히 여행이 좋아서 시작했어요. 그런데 여행 중의 경험을 글로 기록하면서 많은 사람들이 제 글을 읽고 공감해주는 것을 보며 큰 보람을 느꼈어요. 특히, 독자들의 긍정적인 피드백을 받으면서 여행 작가가 되겠다는 꿈이 확신으로 변했어요."

이지해 작가: "독자들의 피드백이 큰 동기부여가 되었군요. 그 과정에서 가장 도움이 되었던 경험은 무엇이었나요?"

하윤: "처음으로 여행 블로그를 시작했을 때의 경험이 가장 큰 도움이 되었어요. 많은 사람들과 여행 정보를 공유하고, 그들의 반응을 보며 제 글을 계속 발전시킬 수 있었어요. 또한, 여행 작가들의 세미나에 참여하며 많은 것을 배울 수 있었어요."

이지해 작가: "주변의 지지와 다양한 활동이 큰 도움이 되었군요. 하윤 씨의 꿈을 지지해주는 사람들은 누구인가요?"

하윤: "가족과 친구들이 항상 응원해주셨어요. 특히, 여행 블로그를 통해 만난 독자들이 많은 힘이 되었어요. 그들은 제 글에 대한 피드백을 주고, 새로운 여행지에 대한 정보를 제공해주었어요."

이지해 작가: "주변의 지지와 응원이 큰 힘이 되었군요. 그렇다면, 하윤 씨가 꿈을 실현하기 위해 현재 실천하고 있는 구체적인 행동들이 무엇인가요?"

하윤: "퇴근 후와 주말에는 여행 관련 서적을 읽고, 글쓰기를 연습하고 있어요. 또한, 주기적으로 여행을 다니며 경험을 쌓고, 그 경험을 블로그에 기록하고 있어요. 여행 작가들의 세미나에 참여하며 네트워킹을 하고, 다양한 글쓰기 워크숍에 참여해 실력을 키우고 있습니다."

이지해 작가: "정말 꾸준히 노력하고 있군요. 여행 작가가 되기 위해 어떤 조언을 해주고 싶나요?"

하윤: "자신의 경험을 진솔하게 기록하는 것이 중요하다고 생각해요. 실패하더라도 포기하지 않고 계속 노력하는 자세가 필요해요. 또한, 다양한 글을 읽고 쓰면서 자신의 글쓰기 스타일을 찾는 것이 중요해요."

이지해 작가: "하윤 씨, 훌륭한 조언이에요. 저도 몇 가지 조언을 덧붙이고 싶어요. 먼저, 꾸준히 글을 쓰는 것은 정말 중요해요. 매일 일정한 시간에 글을 쓰고, 목표를 세우는 것이 필요하죠. 예를 들어, 이번 달에는 특정 여행지에 대한 글을 완성하겠다는 목표를 세우면 도움이 될 거예요."

"또한, 다양한 여행지를 경험하며 자신의 글쓰기 스타일을 찾는 것도 중요해요. 그렇게 하면 새로운 영감을 얻을 수 있고, 자신만의 목소리를 찾는 데 도움이 될 거예요."

"그리고 독자들과의 소통도 필요해요. 블로그나 소셜 미디어를 통해 독자들의 피드백을 듣고, 그에 맞춰 글을 개선하는 것이 중요해요. 이러한 모든 노력들이 모여서 꿈을 이루는 데 큰 도움이 될 거예요."

하윤: "정말 감사합니다, 작가님. 말씀해주신 조언을 꼭 실천해 볼게요. 더 열심히 노력해서 훌륭한 여행 작가가 되겠습니다."

이지해 작가: "마지막으로, 하윤 씨에게 힘이 되고 영감을 주는 인용구를 하나 소개해줄래요?"

하윤: "'여행은 그 자체로 가장 좋은 글감이다.' - 로버트 루이스 스티븐슨. 이 말을 항상 마음에 새기고 있어요."

이지해 작가: "정말 멋진 말이네요. 하윤 씨의 꿈을 응원합니다. 항상 긍정적인 마음가짐을 잊지 말고, 꾸준히 노력하세요!"

## 국제 기자를 꿈꾸는 대학생(현아)

이지해 작가: "안녕하세요, 현아 씨. 국제 기자가 되겠다는 꿈을 가지게 된 특별한 계기가 있나요?"

현아: "안녕하세요, 작가님. 어렸을 때부터 뉴스를 보는 것을 좋아했어요. 특히, 국제 뉴스를 보면서 세계 여러 나라의 상황을 알게 되었고, 그 소식을 전달하는 기자라는 직업에 관심을 가지게 되었어요. 대학에 들어와 저널리즘을 전공하면서 국제 기자가 되겠다는 꿈을 가지게 되었어요."

이지해 작가: "뉴스가 큰 영향을 주었군요. 그 후로 국제 기자가 되기 위해 어떻게 준비해왔나요?"

현아: "대학에서 저널리즘을 전공하면서 다양한 저널리즘 기술을 배우고, 국제 뉴스를 분석하며 공부했어요. 또한, 대학 신문사에서 활동하며 실제 기자로서의 경험을 쌓고, 방학 때는 인턴십을 통해 다양한 언론사에서 실무 경험을 쌓았어요."

이지해 작가: "현아 씨, 많은 사람들이 꿈을 찾지 못해서 고민하는데, 어떻게 국제 기자라는 꿈을 확신하게 되었나요?"

현아: "처음에는 단순히 뉴스를 좋아해서 시작했어요. 그런데 대학 신문사에서 활동하면서 실제로 기사를 작성하고, 독자들의 반응을 보며 큰 보람을 느꼈어요. 특히, 해외 취재를 다녀온 후, 국제 기자가 되어 세계 여러 나라의 소식을 전달하고 싶다는 확신이 생겼어요."

이지해 작가: "해외 취재 경험이 큰 동기부여가 되었군요. 그 과정에서 가장 도움이 되었던 경험은 무엇이었나요?"

현아: "처음으로 해외 취재를 다녀온 경험이 가장 큰 도움이 되었어요. 그때 다양한 사람들과 인터뷰를 하며 많은 것을 배웠고, 그들의 이야기를 전달하는 것에 큰 보람을 느꼈어요. 또한, 인턴십을 통해 다양한 언론사에서 실무 경험을 쌓은 것도 큰 도움이 되었어요."

이지해 작가: "주변의 지지와 다양한 활동이 큰 도움이 되었군요. 현아 씨의 꿈을 지지해주는 사람들은 누구인가요?"

현아: "가족과 친구들이 항상 응원해주셨어요. 특히, 대학의 교수님과 신문사 동료들이 많은 도움을 주셨어요. 교수님은 제게 다양한 저널리즘 기술을 가르쳐주셨고, 동료들은 함께 기사를 작성하며 서로의 글을 보완해주었어요."

이지해 작가: "주변의 지지와 응원이 큰 힘이 되었군요. 그렇다면, 현아 씨가 꿈을 실현하기 위해 현재 실천하고 있는 구체적인 행동들이 무엇인가요?"

현아: "매일 국제 뉴스를 분석하며 공부하고, 대학 신문사에서 활동하며 기사를 작성하고 있어요. 또한, 방학 때는 다양한 언론사에서 인턴십을 통해 실무 경험을 쌓고, 저널리즘 관련 서적을 읽으며 지식을 넓히고 있습니다."

이지해 작가: "정말 꾸준히 노력하고 있군요. 국제 기자가 되기 위해 어떤 조언을 해주고 싶나요?"

현아: "자신의 목소리를 잃지 않고, 진실을 전달하는 것이 중요하다고 생각해요. 실패하더라도 포기하지 않고 계속 노력하는 자세가 필요해요. 또한, 다양한 경험을 쌓으며 자신의 시야를 넓히는 것이 중요해요."

이지해 작가: "현아 씨, 훌륭한 조언이에요. 저도 몇 가지 조언을 덧붙이고 싶어요. 먼저, 꾸준히 국제 뉴스를 분석하며 학습하는 것은 정말 중요해요. 매일 일정한 시간에 뉴스를 분석하고, 목표를 세우는 것이 필요하죠. 예를 들어, 이번 학기에는 특정 국가의 뉴스를 집중적으로 분석하겠다는 목표를 세우면 도움이 될 거예요."

"또한, 다양한 언론사에서 인턴십을 통해 실무 경험을 쌓는 것도 중요해요. 그렇게 하면 새로운 영감을 얻을 수 있고, 자신만의 저널리즘 스타일을 찾는 데 도움이 될 거예요."

"그리고 다양한 사람들과의 인터뷰를 통해 새로운 시각을 얻는 것도 필요해요. 다양한 사람들의 이야기를 듣고, 그들의 경험을 통해 새로운 관점을 배우는 것이 중요해요. 이러한 모든 노력들이 모여서 꿈을 이루는 데 큰 도움이 될 거예요."

현아: "정말 감사합니다, 작가님. 말씀해주신 조언을 꼭 실천해 볼게요. 더 열심히 노력해서 훌륭한 국제 기자가 되겠습니다."

이지해 작가: "마지막으로, 현아 씨에게 힘이 되고 영감을 주는 인용구를 하나 소개해줄래요?"

현아: "'진실은 모든 것의 기초이다.' - 윌리엄 블레이크. 이 말을 항상 마음에 새기고 있어요."

이지해 작가: "정말 멋진 말이네요. 현아 씨의 꿈을 응원합니다. 항상 긍정적인 마음가짐을 잊지 말고, 꾸준히 노력하세요!"

## 셰프를 꿈꾸는 요리학도(동현)

이지해 작가: "안녕하세요, 동현 씨. 셰프가 되겠다는 꿈을 가지게 된 특별한 계기가 있나요?"

동현: "안녕하세요, 작가님. 어렸을 때부터 부모님과 함께 요리를 하면서 자연스럽게 요리에 대한 흥미가 생겼어요. 특히, 다양한 요리 프로그램을 보면서 셰프라는 직업에 매료되었고, 요리 학원에 다니면서 셰프가 되겠다는 꿈을 가지게 되었어요."

이지해 작가: "요리 프로그램이 큰 영향을 주었군요. 그 후로 셰프가 되기 위해 어떻게 준비해왔나요?"

동현: "고등학교 때부터 요리 학원에 다니며 다양한 요리 기술을 배우고, 요리 대회에 참가하며 실력을 키웠어요. 또한, 유명 레스토랑에서 아르바이트를 하며 실제 주방에서의 경험을 쌓고, 요리 관련 서적을 읽으며 지식을 넓히고 있습니다."

이지해 작가: "동현 씨, 많은 사람들이 꿈을 찾지 못해서 고민하는데, 어떻게 셰프라는 꿈을 확신하게 되었나요?"

동현: "처음에는 단순히 요리를 좋아해서 시작했어요. 그런데 요리 대회에 참가하며 많은 사람들의 긍정적인 반응을 보면서 큰 보람을 느꼈고, 셰프로서 더 많은 사람들에게 맛있는 음식을 제공하고 싶다는 확신이 생겼어요."

이지해 작가: "요리 대회 경험이 큰 동기부여가 되었군요. 그 과정에서 가장 도움이 되었던 경험은 무엇이었나요?"

동현: "처음으로 요리 대회에서 수상한 경험이 가장 큰 도움이 되었어요. 그때 많은 사람들의 긍정적인 피드백을 받으며 제 요리에 대한 자신감을 얻을 수 있었어요. 또한, 유명 레스토랑에서의 아르바이트 경험을 통해 실제 주방에서의 실무를 배울 수 있었어요."

이지해 작가: "주변의 지지와 다양한 활동이 큰 도움이 되었군요. 동현 씨의 꿈을 지지해주는 사람들은 누구인가요?"

동현: "가족과 친구들이 항상 응원해주셨어요. 특히, 요리 학원의 선생님들과 레스토랑 동료들이 많은 도움을 주셨어요. 선생님은 제게 다양한 요리 기술을 가르쳐주셨고, 동료들은 함께 요리를 하며 서로의 실력을 보완해주었어요."

이지해 작가: "주변의 지지와 응원이 큰 힘이 되었군요. 그렇다면, 동현 씨가 꿈을 실현하기 위해 현재 실천하고 있는 구체적인 행동들이 무엇인가요?"

동현: "매일 요리 학원에서 새로운 요리를 배우고, 주말에는 유명 레스토랑에서 아르바이트를 하며 실무 경험을 쌓고 있어요. 또한, 요리 대회에 꾸준히 참가하며 실력을 키우고, 요리 관련 서적을 읽으며 지식을 넓히고 있습니다."

이지해 작가: "정말 꾸준히 노력하고 있군요. 셰프가 되기 위해 어떤 조언을 해주고 싶나요?"

동현: "자신의 요리에 대한 열정을 잃지 않고, 끊임없이 새로운 요리를 시도하는 것이 중요하다고 생각해요. 실패하더라도 포기하지 않고 계속 노력하는 자세가 필요해요. 또한, 다양한 요리를 경험하며 자신의 요리 스타일을 찾는 것이 중요해요."

이지해 작가: "동현 씨, 훌륭한 조언이에요. 저도 몇 가지 조언을 덧붙이고 싶어요. 먼저, 꾸준히 새로운 요리를 시도하며 학습하는 것은 정말 중요해요. 매일 일정한 시간에 요리를 하고, 목표를 세우는 것이 필요하죠. 예를 들어, 이번 달에는 특정 요리 기법을 완벽하게 익히겠다는 목표를 세우면 도움이 될 거예요."

"또한, 다양한 요리 대회에 참여하며 자신의 경험을 쌓는 것도 중요해요. 그렇게 하면 새로운 영감을 얻을 수 있고, 자신만의 요리 스타일을 찾는 데 도움이 될 거예요."

"그리고 고객들의 피드백을 듣는 것도 필요해요. 레스토랑에서 일하면서 고객들의 반응을 보고, 그에 맞춰 요리를 개선하는 것이 중요해요. 이러한 모든 노력들이 모여서 꿈을 이루는 데 큰 도움이 될 거예요."

동현: "정말 감사합니다, 작가님. 말씀해주신 조언을 꼭 실천해 볼게요. 더 열심히 노력해서 훌륭한 셰프가 되겠습니다."

이지해 작가: "마지막으로, 동현 씨에게 힘이 되고 영감을 주는 인용구를 하나 소개해줄래요?"

동현: "'요리는 마음을 담아 만드는 예술이다.' - 조엘 로부숑. 이 말을 항상 마음에 새기고 있어요."

이지해 작가: "정말 멋진 말이네요. 동현 씨의 꿈을 응원합니다. 항상 긍정적인 마음가짐을 잊지 말고, 꾸준히 노력하세요!"

제 8 장

# 기술과 혁신의 꿈

기술과 혁신의 꿈은 소프트웨어 엔지니어, 게임 개발자, 데이터 과학자 등 기술 분야에서 혁신을 꿈꾸는 이들의 여정과 도전을 다루며, 그들의 목표를 이루기 위한 끊임없는 학습과 노력, 협업의 중요성을 강조합니다. 각 인물은 자신만의 방식으로 기술적 도전을 극복하고, 창의적인 문제 해결과 지속적인 성장을 통해 꿈을 실현해 나갑니다.

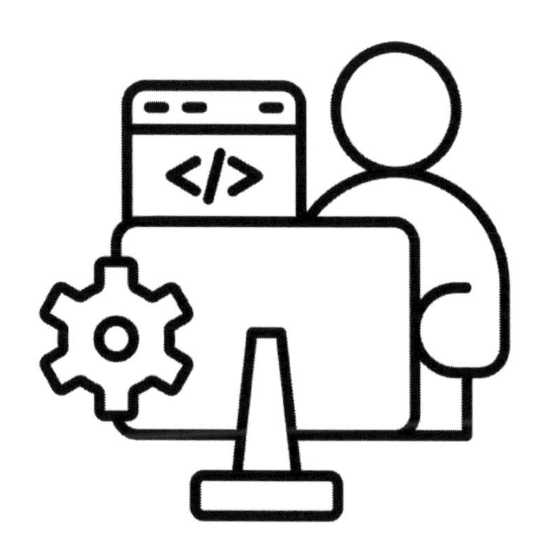

### 소프트웨어 엔지니어를 꿈꾸는 고등학생(서준)

이지해 작가: "안녕하세요, 서준 씨. 소프트웨어 엔지니어가 되겠다는 꿈을 가지게 된 특별한 계기가 있나요?"

서준: "안녕하세요, 작가님. 어렸을 때부터 컴퓨터를 좋아해서 부모님과 함께 프로그램을 만드는 것을 시작했어요. 처음에는 단순한 게임을 만들었지만, 점점 복잡한 프로그램을 만들면서 소프트웨어 엔지니어가 되고 싶다는 꿈을 가지게 되었어요."

이지해 작가: "어렸을 때부터 프로그래밍에 관심이 있었군요. 그 후로 소프트웨어 엔지니어가 되기 위해 어떻게 준비해왔나요?"

서준: "학교에서 컴퓨터 과학 수업을 듣고, 방과 후에는 프로그래밍 클럽에 참여하고 있어요. 또한, 온라인 코딩 강좌를 통해 다양한 프로그래밍 언어를 배우고, 해커톤과 코딩 대회에 참여하며 실력을 키우고 있어요."

이지해 작가: "서준 씨, 많은 사람들이 꿈을 찾지 못해서 고민하는데, 어떻게 소프트웨어 엔지니어라는 꿈을 확신하게 되었나요?"

서준: "처음에는 단순히 컴퓨터를 좋아해서 시작했어요. 그런데 프로그래밍을 배우면서 문제를 해결하는 과정이 너무 재미있고, 그 성취감이 커서 소프트웨어 엔지니어가 되겠다는 확신이 생겼어요. 특히, 첫 해커톤에서 우승한 경험이 큰 동기부여가 되었어요."

이지해 작가: "해커톤 우승 경험이 큰 동기부여가 되었군요. 그 과정에서 가장 도움이 되었던 경험은 무엇이었나요?"

서준: "해커톤에서 다양한 사람들과 팀을 이루어 프로젝트를 진행한 경험이 가장 큰 도움이 되었어요. 그때 많은 문제를 함께 해결하며 협업의 중요성을 배웠고, 팀원들로부터 다양한 아이디어를 얻을 수 있었어요. 또한, 실제 작동하는 프로그램을 만들어 발표하면서 자신감을 얻었어요."

이지해 작가: "주변의 지지와 다양한 활동이 큰 도움이 되었군요. 서준 씨의 꿈을 지지해주는 사람들은 누구인가요?"

서준: "가족과 친구들이 항상 응원해주셨어요. 특히, 학교의 컴퓨터 과학 선생님과 프로그래밍 클럽 동아리 친구들이 많은 도움을 주셨어요. 선생님은 제게 다양한 프로그래밍 언어를 가르쳐주셨고, 친구들은 함께 프로젝트를 진행하며 서로의 실력을 보완해주었어요."

이지해 작가: "주변의 지지와 응원이 큰 힘이 되었군요. 그렇다면, 서준 씨가 꿈을 실현하기 위해 현재 실천하고 있는 구체적인 행동들이 무엇인가요?"

서준: "매일 최소 한 시간 이상 코딩을 하고, 방과 후에는 프로그래밍 클럽에서 다양한 프로젝트를 진행하고 있어요. 또한, 온라인 코딩 강좌를 통해 새로운 언어를 배우고, 해커톤과 코딩 대회에 꾸준히 참여하며 실력을 키우고 있습니다."

이지해 작가: "정말 꾸준히 노력하고 있군요. 소프트웨어 엔지니어가 되기 위해 어떤 조언을 해주고 싶나요?"

서준: "자신의 코드에 자부심을 가지고, 끊임없이 개선하려는 자세가 중요하다고 생각해요. 실패하더라도 포기하지 않고 계속 도전하는 것이 필요해요. 또한, 다양한 프로젝트에 참여하며 실무 경험을 쌓는 것도 중요하다고 생각합니다."

이지해 작가: "서준 씨, 훌륭한 조언이에요. 저도 몇 가지 조언을 덧붙이고 싶어요. 먼저, 꾸준히 코딩하는 것은 정말 중요해요. 매일 일정한 시간에 코딩을 하고, 목표를 세우는 것이 필요하죠. 예를 들어, 이번 학기에는 특정 알고리즘을 완벽하게 이해하겠다는 목표를 세우면 도움이 될 거예요."

"또한, 다양한 프로젝트에 참여하며 자신의 경험을 쌓는 것도 중요해요. 그렇게 하면 새로운 영감을 얻을 수 있고, 자신만의 프로그래밍 스타일을 찾는 데 도움이 될 거예요."

"그리고 팀 프로젝트를 통해 협업의 중요성을 배우는 것도 필요해요. 다른 사람들과 함께 문제를 해결하고, 다양한 아이디어를 공유하며 배우는 것이 중요해요. 이러한 모든 노력들이 모여서 꿈을 이루는 데 큰 도움이 될 거예요."

서준: "정말 감사합니다, 작가님. 말씀해주신 조언을 꼭 실천해볼게요. 더 열심히 노력해서 훌륭한 소프트웨어 엔지니어가 되겠습니다."

이지해 작가: "마지막으로, 서준 씨에게 힘이 되고 영감을 주는 인용구를 하나 소개해줄래요?"

서준: "'코드는 시처럼 쓰여져야 한다. 읽는 사람에게 아름다움과 이해를 줘야 한다.' - 도널드 크누스. 이 말을 항상 마음에 새기고 있어요."

이지해 작가: "정말 멋진 말이네요. 서준 씨의 꿈을 응원합니다. 항상 긍정적인 마음가짐을 잊지 말고, 꾸준히 노력하세요!"

## 게임 개발자를 꿈꾸는 대학생(재민)

이지해 작가: "안녕하세요, 재민 씨. 게임 개발자가 되겠다는 꿈을 가지게 된 특별한 계기가 있나요?"

재민: "안녕하세요, 작가님. 어렸을 때부터 게임을 좋아했어요. 다양한 게임을 하면서 저도 게임을 직접 만들고 싶다는 생각을 하게 되었죠. 대학에 들어와 컴퓨터 공학을 전공하면서 게임 개발을 본격적으로 배우기 시작했고, 게임 개발자가 되겠다는 꿈을 가지게 되었어요."

이지해 작가: "게임에 대한 흥미가 시작이었군요. 그 후로 게임 개발자가 되기 위해 어떻게 준비해왔나요?"

재민: "대학에서 컴퓨터 공학을 전공하면서 게임 개발과 관련된 다양한 수업을 듣고, 게임 개발 동아리에 가입해서 팀 프로젝트를 진행하고 있어요. 또한, 개인적으로 게임 엔진을 사용해 게임을 개발하며 실력을 키우고, 게임 잼에 참가해 다양한 아이디어를 구현해보고 있어요."

이지해 작가: "재민 씨, 많은 사람들이 꿈을 찾지 못해서 고민하는데, 어떻게 게임 개발자라는 꿈을 확신하게 되었나요?"

재민: "처음에는 단순히 게임을 좋아해서 시작했어요. 그런데 첫 게임을 만들어보고 나서, 게임을 통해 사람들에게 즐거움을 줄 수 있다는 것이 너무 매력적이었어요. 특히, 첫 게임 잼에서 만든 게임이 많은 사람들에게 긍정적인 반응을 받으면서 게임 개발자가 되겠다는 확신이 생겼어요."

이지해 작가: "게임 잼 경험이 큰 동기부여가 되었군요. 그 과정에서 가장 도움이 되었던 경험은 무엇이었나요?"

재민: "첫 게임 잼에 참가했던 경험이 가장 큰 도움이 되었어요. 제한된 시간 안에 팀원들과 협력하여 게임을 만드는 과정에서 많은 것을 배웠고, 다양한 아이디어를 실험해볼 수 있었어요. 또한, 다른 참가자들의 게임을 보며 많은 영감을 얻을 수 있었어요."

이지해 작가: "주변의 지지와 다양한 활동이 큰 도움이 되었군요. 재민 씨의 꿈을 지지해주는 사람들은 누구인가요?"

재민: "가족과 친구들이 항상 응원해주셨어요. 특히, 대학의 교수님과 게임 개발 동아리 친구들이 많은 도움을 주셨어요. 교수님은 제게 게임 개발의 기초부터 고급 기술까지 가르쳐주셨고, 동아리 친구들은 함께 게임을 만들며 서로의 아이디어를 발전시켜주었어요."

이지해 작가: "주변의 지지와 응원이 큰 힘이 되었군요. 그렇다면, 재민 씨가 꿈을 실현하기 위해 현재 실천하고 있는 구체적인 행동들이 무엇인가요?"

재민: "매일 일정한 시간에 게임 개발을 하고, 게임 엔진을 활용한 다양한 프로젝트를 진행하고 있어요. 또한, 게임 개발 동아리 활동을 통해 팀 프로젝트를 경험하고, 게임 잼에 꾸준히 참가하며 실력을 키우고 있습니다. 그리고 게임 개발 관련 서적을 읽고, 온라인 강좌를 통해 최신 기술을 배우고 있어요."

이지해 작가: "정말 꾸준히 노력하고 있군요. 게임 개발자가 되기 위해 어떤 조언을 해주고 싶나요?"

재민: "끊임없이 새로운 아이디어를 시도하고, 게임을 만드는 과정에서 재미를 느끼는 것이 중요하다고 생각해요. 실패하더라도

포기하지 않고 계속 도전하는 자세가 필요해요. 또한, 다양한 게임을 경험하며 자신의 게임 개발 스타일을 찾는 것이 중요해요."

이지해 작가: "재민 씨, 훌륭한 조언이에요. 저도 몇 가지 조언을 덧붙이고 싶어요. 먼저, 꾸준히 게임을 개발하며 학습하는 것은 정말 중요해요. 매일 일정한 시간에 게임을 개발하고, 목표를 세우는 것이 필요하죠. 예를 들어, 이번 학기에는 특정 게임 장르에 도전하겠다는 목표를 세우면 도움이 될 거예요."

"또한, 다양한 게임 잼에 참여하며 자신의 경험을 쌓는 것도 중요해요. 그렇게 하면 새로운 영감을 얻을 수 있고, 자신만의 게임 개발 스타일을 찾는 데 도움이 될 거예요."

"그리고 플레이어들의 피드백을 듣는 것도 필요해요. 게임을 출시하고, 플레이어들의 반응을 보고, 그에 맞춰 게임을 개선하는 것이 중요해요. 이러한 모든 노력들이 모여서 꿈을 이루는 데 큰 도움이 될 거예요."

재민: "정말 감사합니다, 작가님. 말씀해주신 조언을 꼭 실천해 볼게요. 더 열심히 노력해서 훌륭한 게임 개발자가 되겠습니다."

이지해 작가: "마지막으로, 재민 씨에게 힘이 되고 영감을 주는 인용구를 하나 소개해줄래요?"

재민: "'게임은 삶의 축소판이다. 우리는 게임을 통해 인생의 다양한 면을 경험한다.' - 시드 마이어. 이 말을 항상 마음에 새기고 있어요."

이지해 작가: "정말 멋진 말이네요. 재민 씨의 꿈을 응원합니다. 항상 긍정적인 마음가짐을 잊지 말고, 꾸준히 노력하세요!"

## 데이터 과학자를 꿈꾸는 직장인(지연)

이지해 작가: "안녕하세요, 지연 씨. 데이터 과학자가 되겠다는 꿈을 가지게 된 특별한 계기가 있나요?"

지연: "안녕하세요, 작가님. 직장에서 다양한 데이터를 분석하며 문제를 해결하는 과정이 너무 재미있었어요. 데이터 분석을 통해 중요한 인사이트를 도출하는 것이 매력적이었고, 데이터 과학자가 되어 더 복잡한 문제를 해결하고 싶다는 꿈을 가지게 되었어요."

이지해 작가: "직장에서의 경험이 큰 영향을 주었군요. 그 후로 데이터 과학자가 되기 위해 어떻게 준비해왔나요?"

지연: "퇴근 후와 주말에는 데이터 과학 관련 서적을 읽고, 온라인 강좌를 통해 데이터 분석 기술을 배우고 있어요. 또한, 다양한 데이터 분석 프로젝트에 참여하며 실무 경험을 쌓고, 데이터 과학 관련 세미나와 워크숍에 참가하며 최신 동향을 파악하고 있습니다."

이지해 작가: "지연 씨, 많은 사람들이 꿈을 찾지 못해서 고민하는데, 어떻게 데이터 과학자라는 꿈을 확신하게 되었나요?"

지연: "처음에는 단순히 데이터를 분석하는 것이 재미있어서 시작했어요. 그런데 복잡한 데이터를 분석해 중요한 인사이트를 도출하면서 큰 성취감을 느꼈어요. 특히, 첫 데이터 분석 프로젝트가 성공적으로 완료된 후, 데이터 과학자가 되겠다는 확신이 생겼어요."

이지해 작가: "첫 데이터 분석 프로젝트 성공이 큰 동기부여가 되었군요. 그 과정에서 가장 도움이 되었던 경험은 무엇이었나요?"

지연: "첫 데이터 분석 프로젝트에서 다양한 데이터를 처리하고 분석하는 경험이 가장 큰 도움이 되었어요. 그때 팀원들과 함께 문제를 해결하며 많은 것을 배웠고, 중요한 인사이트를 도출해 실질적인 문제를 해결할 수 있었어요. 또한, 다양한 데이터 과학 세미나와 워크숍에 참여하며 최신 기술을 배울 수 있었어요."

이지해 작가: "주변의 지지와 다양한 활동이 큰 도움이 되었군요. 지연 씨의 꿈을 지지해주는 사람들은 누구인가요?"

지연: "가족과 동료들이 항상 응원해주셨어요. 특히, 직장의 상사와 팀원들이 많은 도움을 주셨어요. 상사는 제게 다양한 데이터 분석 프로젝트를 맡겨주셨고, 팀원들은 함께 문제를 해결하며 서로의 지식을 공유해주었어요."

이지해 작가: "주변의 지지와 응원이 큰 힘이 되었군요. 그렇다면, 지연 씨가 꿈을 실현하기 위해 현재 실천하고 있는 구체적인 행동들이 무엇인가요?"

지연: "퇴근 후와 주말마다 데이터 과학 관련 서적을 읽고, 온라인 강좌를 통해 데이터 분석 기술을 배우고 있어요. 또한, 다양한 데이터 분석 프로젝트에 참여하며 실무 경험을 쌓고, 데이터 과학 관련 세미나와 워크숍에 참가하며 최신 동향을 파악하고 있습니다."

이지해 작가: "정말 꾸준히 노력하고 있군요. 데이터 과학자가 되기 위해 어떤 조언을 해주고 싶나요?"

지연: "데이터를 다루는 기술뿐만 아니라, 데이터를 통해 문제를

해결하는 능력이 중요하다고 생각해요. 실패하더라도 포기하지 않고 계속 도전하는 자세가 필요해요. 또한, 다양한 데이터 분석 도구를 익히고, 실무 경험을 쌓는 것이 중요하다고 생각합니다."

이지해 작가: "지연 씨, 훌륭한 조언이에요. 저도 몇 가지 조언을 덧붙이고 싶어요. 먼저, 꾸준히 데이터 분석을 학습하는 것은 정말 중요해요. 매일 일정한 시간에 데이터를 분석하고, 목표를 세우는 것이 필요하죠. 예를 들어, 이번 달에는 특정 데이터 분석 기법을 완벽하게 익히겠다는 목표를 세우면 도움이 될 거예요."

"또한, 다양한 데이터 분석 프로젝트에 참여하며 자신의 경험을 쌓는 것도 중요해요. 그렇게 하면 새로운 영감을 얻을 수 있고, 자신만의 데이터 분석 스타일을 찾는 데 도움이 될 거예요."

"그리고 데이터를 통해 얻은 인사이트를 실질적으로 적용해보는 것도 필요해요. 데이터를 분석해 얻은 결과를 실제 문제 해결에 적용하고, 그 성과를 평가하는 것이 중요해요. 이러한 모든 노력들이 모여서 꿈을 이루는 데 큰 도움이 될 거예요."

지연: "정말 감사합니다, 작가님. 말씀해주신 조언을 꼭 실천해 볼게요. 더 열심히 노력해서 훌륭한 데이터 과학자가 되겠습니다."

이지해 작가: "마지막으로, 지연 씨에게 힘이 되고 영감을 주는 인용구를 하나 소개해줄래요?"

지연: "'데이터는 21세기의 석유다.' - 클라이브 험비. 이 말을 항상 마음에 새기고 있어요."

이지해 작가: "정말 멋진 말이네요. 지연 씨의 꿈을 응원합니다. 항상 긍정적인 마음가짐을 잊지 말고, 꾸준히 노력하세요!"

제 9 장

# 예술과 공연의 꿈

연극배우, 발레리나, 피아니스트를 꿈꾸는 이들의 열정과 끈기를 통해 예술적 성취를 향한 여정을 탐구합니다. 이들의 이야기는 창의성과 인내의 힘을 강조하며, 꿈을 이루기 위한 꾸준한 노력이 중요함을 보여줍니다.

## 연극배우를 꿈꾸는 대학생(현지)

이지해 작가: "안녕하세요, 현지 씨. 연극배우가 되겠다는 꿈을 가지게 된 특별한 계기가 있나요?"

현지: "안녕하세요, 작가님. 고등학교 때 처음으로 연극 동아리에 들어가면서 연극의 매력에 빠지게 되었어요. 무대에서 관객과 소통하는 그 특별한 순간들이 너무 소중하게 느껴졌어요. 그래서 대학에 와서도 연극을 계속하고 있어요."

이지해 작가: "연극 동아리가 큰 계기가 되었군요. 그 후로 연극배우가 되기 위해 어떻게 준비해왔나요?"

현지: "대학에서 연극영화과를 전공하면서 다양한 연기 수업을 듣고, 여러 연극 공연에 참여하고 있어요. 또한, 방학 때는 연극 워크숍에 참여하며 실력을 쌓고, 다양한 연극 페스티벌에 참가해 경험을 넓히고 있어요."

이지해 작가: "현지 씨, 많은 사람들이 꿈을 찾지 못해서 고민하는데, 어떻게 연극배우라는 꿈을 확신하게 되었나요?"

현지: "처음에는 단순히 연극이 재미있어서 시작했어요. 그런데 무대에 서서 관객과 소통할 때 느끼는 감동이 너무 컸어요. 특히, 첫 주연을 맡았을 때 많은 사람들의 박수를 받으며 연극배우가 되겠다는 확신이 생겼어요."

이지해 작가: "첫 주연 경험이 큰 동기부여가 되었군요. 그 과정에서 가장 도움이 되었던 경험은 무엇이었나요?"

현지: "첫 주연을 맡은 공연이 가장 큰 도움이 되었어요. 그때 많은 연습을 통해 실력을 키울 수 있었고, 동료 배우들과의 협업을 통해 많은 것을 배웠어요. 또한, 다양한 관객들의 반응을 보며 연극의 매력을 다시 한번 느낄 수 있었어요."

이지해 작가: "주변의 지지와 다양한 활동이 큰 도움이 되었군요. 현지 씨의 꿈을 지지해주는 사람들은 누구인가요?"

현지: "가족과 친구들이 항상 응원해주셨어요. 특히, 연극 동아리 선생님과 대학의 연극영화과 교수님들이 많은 도움을 주셨어요. 그들은 제게 다양한 연기 기법을 가르쳐주고, 실제 무대 경험을 쌓을 수 있도록 많은 기회를 주셨어요."

이지해 작가: "주변의 지지와 응원이 큰 힘이 되었군요. 그렇다면, 현지 씨가 꿈을 실현하기 위해 현재 실천하고 있는 구체적인 행동들이 무엇인가요?"

현지: "매일 연기 연습을 하고, 주기적으로 연극 공연에 참여하고 있어요. 또한, 다양한 연극 워크숍에 참가하며 실력을 키우고, 연극 페스티벌에 참가해 다양한 연기를 경험하고 있어요. 그리고 연극 관련 서적을 읽으며 이론적인 지식도 쌓고 있습니다."

이지해 작가: "정말 꾸준히 노력하고 있군요. 연극배우가 되기 위해 어떤 조언을 해주고 싶나요?"

현지: "자신의 연기에 대한 열정을 잃지 않고, 끊임없이 새로운 역할에 도전하는 것이 중요하다고 생각해요. 실패하더라도 포기하지

않고 계속 노력하는 자세가 필요해요. 또한, 다양한 연극을 경험하며 자신의 연기 스타일을 찾는 것이 중요해요."

이지해 작가: "현지 씨, 훌륭한 조언이에요. 저도 몇 가지 조언을 덧붙이고 싶어요. 먼저, 꾸준히 연기 연습을 하는 것은 정말 중요해요. 매일 일정한 시간에 연기 연습을 하고, 목표를 세우는 것이 필요하죠. 예를 들어, 이번 학기에는 특정 연기 기법을 완벽하게 익히겠다는 목표를 세우면 도움이 될 거예요."

"또한, 다양한 연극 공연에 참여하며 자신의 경험을 쌓는 것도 중요해요. 그렇게 하면 새로운 영감을 얻을 수 있고, 자신만의 연기 스타일을 찾는 데 도움이 될 거예요."

"그리고 관객들의 반응을 귀 기울여 듣는 것도 필요해요. 공연을 마친 후 관객들의 피드백을 듣고, 그에 맞춰 연기를 개선하는 것이 중요해요. 이러한 모든 노력들이 모여서 꿈을 이루는 데 큰 도움이 될 거예요."

현지: "정말 감사합니다, 작가님. 말씀해주신 조언을 꼭 실천해 볼게요. 더 열심히 노력해서 훌륭한 연극배우가 되겠습니다."

이지해 작가: "마지막으로, 현지 씨에게 힘이 되고 영감을 주는 인용구를 하나 소개해줄래요?"

현지: "'연기는 감정을 전달하는 예술이다.' - 로버트 드 니로. 이 말을 항상 마음에 새기고 있어요."

이지해 작가: "정말 멋진 말이네요. 현지 씨의 꿈을 응원합니다. 항상 긍정적인 마음가짐을 잊지 말고, 꾸준히 노력하세요!"

## 발레리나를 꿈꾸는 중학생(유나)

이지해 작가: "안녕하세요, 유나 씨. 발레리나가 되겠다는 꿈을 가지게 된 특별한 계기가 있나요?"

유나: "안녕하세요, 작가님. 어렸을 때부터 발레를 좋아했어요. 처음에는 친구들과 함께 발레 학원을 다니기 시작했는데, 점점 발레의 아름다움에 매료되었어요. 발레를 통해 표현하는 감정과 이야기가 너무 멋져서 발레리나가 되기로 결심했어요."

이지해 작가: "발레의 매력에 빠지게 되었군요. 그 후로 발레리나가 되기 위해 어떻게 준비해왔나요?"

유나: "매일 발레 학원에서 연습하고, 방과 후에는 개인적으로도 발레 연습을 하고 있어요. 또한, 발레 관련 서적을 읽고, 발레 공연을 보며 공부하고 있어요. 주말에는 발레 대회에 참가하며 경험을 쌓고, 발레 워크숍에 참여해 다양한 기술을 배우고 있습니다."

이지해 작가: "유나 씨, 많은 사람들이 꿈을 찾지 못해서 고민하는데, 어떻게 발레리나라는 꿈을 확신하게 되었나요?"

유나: "처음에는 단순히 발레가 좋아서 시작했어요. 그런데 첫 발레 대회에서 수상한 후, 발레리나가 되어 많은 사람들에게 감동을 주고 싶다는 확신이 생겼어요. 발레를 통해 자신을 표현하는 것이 너무 매력적이었어요."

이지해 작가: "첫 발레 대회 수상 경험이 큰 동기부여가 되었군요. 그 과정에서 가장 도움이 되었던 경험은 무엇이었나요?"

유나: "첫 발레 대회에서 수상한 경험이 가장 큰 도움이 되었어요. 그때 많은 사람들의 격려와 응원을 받으며 큰 자신감을 얻을 수 있었어요. 또한, 다양한 발레 워크숍에 참여하며 많은 것을 배울 수 있었어요."

이지해 작가: "주변의 지지와 다양한 활동이 큰 도움이 되었군요. 유나 씨의 꿈을 지지해주는 사람들은 누구인가요?"

유나: "가족과 친구들이 항상 응원해주셨어요. 특히, 발레 학원의 선생님들이 많은 도움을 주셨어요. 선생님들은 제게 다양한 발레 기술을 가르쳐주고, 무대 경험을 쌓을 수 있도록 많은 기회를 주셨어요."

이지해 작가: "주변의 지지와 응원이 큰 힘이 되었군요. 그렇다면, 유나 씨가 꿈을 실현하기 위해 현재 실천하고 있는 구체적인 행동들이 무엇인가요?"

유나: "매일 발레 학원에서 연습하고, 방과 후에는 개인적으로도 발레 연습을 하고 있어요. 또한, 발레 관련 서적을 읽고, 발레 공연을 보며 공부하고 있어요. 주말에는 발레 대회에 참가하며 경험을 쌓고, 발레 워크숍에 참여해 다양한 기술을 배우고 있습니다."

이지해 작가: "정말 꾸준히 노력하고 있군요. 발레리나가 되기 위해 어떤 조언을 해주고 싶나요?"

유나: "자신의 춤에 대한 열정을 잃지 않고, 끊임없이 새로운 기술에 도전하는 것이 중요하다고 생각해요. 실패하더라도 포기하지 않고 계속 노력하는 자세가 필요해요. 또한, 다양한 발레를 경험하며 자신의 춤 스타일을 찾는 것이 중요해요."

이지해 작가: "유나 씨, 훌륭한 조언이에요. 저도 몇 가지 조언을 덧붙이고 싶어요. 먼저, 꾸준히 연습하는 것은 정말 중요해요. 매일

일정한 시간에 발레 연습을 하고, 목표를 세우는 것이 필요하죠. 예를 들어, 이번 학기에는 특정 발레 동작을 완벽하게 익히겠다는 목표를 세우면 도움이 될 거예요."

"또한, 다양한 발레 대회와 워크숍에 참여하며 자신의 경험을 쌓는 것도 중요해요. 그렇게 하면 새로운 영감을 얻을 수 있고, 자신만의 발레 스타일을 찾는 데 도움이 될 거예요."

"그리고 관객들의 반응을 귀 기울여 듣는 것도 필요해요. 공연을 마친 후 관객들의 피드백을 듣고, 그에 맞춰 춤을 개선하는 것이 중요해요. 이러한 모든 노력들이 모여서 꿈을 이루는 데 큰 도움이 될 거예요."

유나: "정말 감사합니다, 작가님. 말씀해주신 조언을 꼭 실천해 볼게요. 더 열심히 노력해서 훌륭한 발레리나가 되겠습니다."

이지해 작가: "마지막으로, 유나 씨에게 힘이 되고 영감을 주는 인용구를 하나 소개해줄래요?"

유나: "'발레는 몸으로 그리는 시다.' - 안나 파블로바. 이 말을 항상 마음에 새기고 있어요."

이지해 작가: "정말 멋진 말이네요. 유나 씨의 꿈을 응원합니다. 항상 긍정적인 마음가짐을 잊지 말고, 꾸준히 노력하세요!"

## 클래식 피아니스트를 꿈꾸는 소년(민호)

이지해 작가: "안녕하세요, 민호 씨. 클래식 피아니스트가 되겠다는 꿈을 가지게 된 특별한 계기가 있나요?"

민호: "안녕하세요, 작가님. 어렸을 때부터 피아노를 배우면서 클래식 음악에 대한 흥미가 생겼어요. 부모님께서도 클래식 음악을 좋아하셔서 집에서 자주 듣다 보니 자연스럽게 클래식 피아니스트가 되고 싶다는 꿈을 가지게 되었어요."

이지해 작가: "클래식 음악이 큰 영향을 주었군요. 그 후로 클래식 피아니스트가 되기 위해 어떻게 준비해왔나요?"

민호: "매일 피아노 연습을 하고, 피아노 선생님과 함께 레슨을 받고 있어요. 또한, 클래식 음악 관련 서적을 읽고, 다양한 클래식 음악 공연을 보며 공부하고 있어요. 주말에는 피아노 콩쿠르에 참가하며 실력을 키우고, 음악 캠프에 참여해 다양한 연주 기법을 배우고 있습니다."

이지해 작가: "민호 씨, 많은 사람들이 꿈을 찾지 못해서 고민하는데, 어떻게 클래식 피아니스트라는 꿈을 확신하게 되었나요?"

민호: "처음에는 단순히 피아노가 좋아서 시작했어요. 그런데 첫 피아노 콩쿠르에서 수상한 후, 클래식 피아니스트가 되어 많은 사람들에게 감동을 주고 싶다는 확신이 생겼어요. 피아노를 통해 표현하는 음악이 너무 매력적이었어요."

이지해 작가: "첫 피아노 콩쿠르 수상 경험이 큰 동기부여가 되었군요. 그 과정에서 가장 도움이 되었던 경험은 무엇이었나요?"

민호: "첫 피아노 콩쿠르에서 수상한 경험이 가장 큰 도움이 되었어요. 그때 많은 사람들의 격려와 응원을 받으며 큰 자신감을 얻을 수 있었어요. 또한, 다양한 음악 캠프에 참여하며 많은 것을 배울 수 있었어요."

이지해 작가: "주변의 지지와 다양한 활동이 큰 도움이 되었군요. 민호 씨의 꿈을 지지해주는 사람들은 누구인가요?"

민호: "가족과 친구들이 항상 응원해주셨어요. 특히, 피아노 선생님과 음악 캠프에서 만난 선생님들이 많은 도움을 주셨어요. 선생님들은 제게 다양한 연주 기법을 가르쳐주고, 무대 경험을 쌓을 수 있도록 많은 기회를 주셨어요."

이지해 작가: "주변의 지지와 응원이 큰 힘이 되었군요. 그렇다면, 민호 씨가 꿈을 실현하기 위해 현재 실천하고 있는 구체적인 행동들이 무엇인가요?"

민호: "매일 피아노 연습을 하고, 피아노 선생님과 함께 레슨을 받고 있어요. 또한, 클래식 음악 관련 서적을 읽고, 다양한 클래식 음악 공연을 보며 공부하고 있어요. 주말에는 피아노 콩쿠르에 참가하며 실력을 키우고, 음악 캠프에 참여해 다양한 연주 기법을 배우고 있습니다."

이지해 작가: "정말 꾸준히 노력하고 있군요. 클래식 피아니스트가 되기 위해 어떤 조언을 해주고 싶나요?"

민호: "자신의 음악에 대한 열정을 잃지 않고, 끊임없이 새로운 곡에 도전하는 것이 중요하다고 생각해요. 실패하더라도 포기하지

않고 계속 노력하는 자세가 필요해요. 또한, 다양한 클래식 음악을 경험하며 자신의 연주 스타일을 찾는 것이 중요해요."

이지해 작가: "민호 씨, 훌륭한 조언이에요. 저도 몇 가지 조언을 덧붙이고 싶어요. 먼저, 꾸준히 연습하는 것은 정말 중요해요. 매일 일정한 시간에 피아노 연습을 하고, 목표를 세우는 것이 필요하죠. 예를 들어, 이번 학기에는 특정 클래식 곡을 완벽하게 연주하겠다는 목표를 세우면 도움이 될 거예요."

"또한, 다양한 피아노 콩쿠르와 음악 캠프에 참여하며 자신의 경험을 쌓는 것도 중요해요. 그렇게 하면 새로운 영감을 얻을 수 있고, 자신만의 연주 스타일을 찾는 데 도움이 될 거예요."

"그리고 청중들의 반응을 귀 기울여 듣는 것도 필요해요. 공연을 마친 후 청중들의 피드백을 듣고, 그에 맞춰 연주를 개선하는 것이 중요해요. 이러한 모든 노력들이 모여서 꿈을 이루는 데 큰 도움이 될 거예요."

민호: "정말 감사합니다, 작가님. 말씀해주신 조언을 꼭 실천해 볼게요. 더 열심히 노력해서 훌륭한 클래식 피아니스트가 되겠습니다."

이지해 작가: "마지막으로, 민호 씨에게 힘이 되고 영감을 주는 인용구를 하나 소개해줄래요?"

민호: "'음악은 마음의 언어다.' - 루드비히 반 베토벤. 이 말을 항상 마음에 새기고 있어요."

이지해 작가: "정말 멋진 말이네요. 민호 씨의 꿈을 응원합니다. 항상 긍정적인 마음가짐을 잊지 말고, 꾸준히 노력하세요!"

제 10 장

# 환경과 지속 가능성의 꿈

환경운동가, 지속 가능한 농업 전문가, 에코 디자이너의 꿈을 통해 환경 보호와 지속 가능성의 중요성을 강조합니다. 이들은 각자의 분야에서 지속 가능한 미래를 위해 노력하며, 다양한 실천 방안을 제시합니다.

## 환경운동가를 꿈꾸는 대학생(윤서)

이지해 작가: "안녕하세요, 윤서 씨. 환경운동가가 되겠다는 꿈을 가지게 된 특별한 계기가 있나요?"

윤서: "안녕하세요, 작가님. 어렸을 때부터 자연을 사랑했어요. 부모님과 함께 캠핑을 다니며 자연의 아름다움을 느끼게 되었죠. 그런데 고등학교 때 환경오염에 관한 다큐멘터리를 보면서 충격을 받았고, 환경 보호의 중요성을 깨닫게 되었어요. 그래서 대학에서 환경학을 전공하게 되었고, 환경운동가가 되기로 결심했어요."

이지해 작가: "자연에 대한 사랑이 시작이었군요. 그 후로 환경운동가가 되기 위해 어떻게 준비해왔나요?"

윤서: "대학에서 환경학을 전공하면서 다양한 환경 관련 수업을 듣고, 환경보호 단체에 가입해 활동하고 있어요. 또한, 방학 때는 환경보호 캠페인에 참여하고, 환경 관련 세미나와 워크숍에 참가해 지식을 넓히고 있습니다."

이지해 작가: "윤서 씨, 많은 사람들이 꿈을 찾지 못해서 고민하는데, 어떻게 환경운동가라는 꿈을 확신하게 되었나요?"

윤서: "처음에는 단순히 자연을 좋아해서 시작했어요. 그런데 대학에서 환경 관련 수업을 들으면서, 환경 문제의 심각성을 깨닫게 되었고, 내가 할 수 있는 일이 많다는 것을 알게 되었어요. 특히, 환경보호 단체에서 활동하면서 많은 사람들과 함께 환경을 보호하는 것이 큰 보람이 되었어요."

이지해 작가: "환경보호 단체 활동이 큰 동기부여가 되었군요. 그 과정에서 가장 도움이 되었던 경험은 무엇이었나요?"

윤서: "처음으로 환경보호 캠페인을 기획하고 실행한 경험이 가장 큰 도움이 되었어요. 그때 많은 사람들과 협력하여 캠페인을 성공적으로 진행할 수 있었고, 많은 사람들의 긍정적인 반응을 보며 큰 보람을 느꼈어요. 또한, 다양한 환경 관련 세미나와 워크숍에 참가해 많은 것을 배울 수 있었어요."

이지해 작가: "주변의 지지와 다양한 활동이 큰 도움이 되었군요. 윤서 씨의 꿈을 지지해주는 사람들은 누구인가요?"

윤서: "가족과 친구들이 항상 응원해주셨어요. 특히, 대학의 교수님과 환경보호 단체의 동료들이 많은 도움을 주셨어요. 교수님은 제게 다양한 환경 문제에 대한 지식을 가르쳐주셨고, 동료들은 함께 활동하며 서로의 아이디어를 발전시켜주었어요."

이지해 작가: "주변의 지지와 응원이 큰 힘이 되었군요. 그렇다면, 윤서 씨가 꿈을 실현하기 위해 현재 실천하고 있는 구체적인 행동들이 무엇인가요?"

윤서: "매일 환경 관련 서적을 읽고, 환경보호 단체에서 활동하며 다양한 캠페인을 기획하고 있어요. 또한, 환경 관련 세미나와 워크숍에 꾸준히 참가해 지식을 넓히고, 방학 때는 환경보호 캠페인에 적극적으로 참여하고 있습니다."

이지해 작가: "정말 꾸준히 노력하고 있군요. 환경운동가가 되기 위해 어떤 조언을 해주고 싶나요?"

윤서: "자연에 대한 사랑을 잃지 않고, 끊임없이 환경 문제에 관심을 가지는 것이 중요하다고 생각해요. 실패하더라도 포기하지

않고 계속 노력하는 자세가 필요해요. 또한, 다양한 환경 보호 활동에 참여하며 자신의 경험을 쌓는 것이 중요해요."

이지해 작가: "윤서 씨, 훌륭한 조언이에요. 저도 몇 가지 조언을 덧붙이고 싶어요. 먼저, 꾸준히 학습하고 활동하는 것은 정말 중요해요. 매일 일정한 시간에 환경 관련 서적을 읽고, 목표를 세우는 것이 필요하죠. 예를 들어, 이번 학기에는 특정 환경 문제에 대한 깊이 있는 연구를 하겠다는 목표를 세우면 도움이 될 거예요."

"또한, 다양한 환경보호 단체와 협력하며 자신의 경험을 쌓는 것도 중요해요. 그렇게 하면 새로운 영감을 얻을 수 있고, 자신만의 환경 보호 활동 방식을 찾는 데 도움이 될 거예요."

"그리고 사람들에게 환경 문제의 중요성을 알리는 것도 필요해요. 캠페인이나 교육을 통해 많은 사람들에게 환경 보호의 필요성을 알리고, 그들과 함께 실천하는 것이 중요해요. 이러한 모든 노력들이 모여서 꿈을 이루는 데 큰 도움이 될 거예요."

윤서: "정말 감사합니다, 작가님. 말씀해주신 조언을 꼭 실천해 볼게요. 더 열심히 노력해서 훌륭한 환경운동가가 되겠습니다."

이지해 작가: "마지막으로, 윤서 씨에게 힘이 되고 영감을 주는 인용구를 하나 소개해줄래요?"

윤서: "'자연은 우리에게 준 선물이다. 우리는 그 선물을 지키고 보호할 책임이 있다.' - 제인 구달. 이 말을 항상 마음에 새기고 있어요."

이지해 작가: "정말 멋진 말이네요. 윤서 씨의 꿈을 응원합니다. 항상 긍정적인 마음가짐을 잊지 말고, 꾸준히 노력하세요!"

## 지속 가능한 농업을 꿈꾸는 직장인(정민)

이지해 작가: "안녕하세요, 정민 씨. 지속 가능한 농업을 꿈꾸게 된 특별한 계기가 있나요?"

정민: "안녕하세요, 작가님. 부모님께서 농장을 운영하셔서 어렸을 때부터 농업에 관심이 많았어요. 하지만 농업의 지속 가능성 문제를 알게 되면서, 지속 가능한 방식으로 농업을 개선하고 싶다는 꿈을 가지게 되었어요. 대학에서도 농업 관련 학과를 전공하며 더욱 깊이 공부하게 되었죠."

이지해 작가: "농업에 대한 관심이 시작이었군요. 그 후로 지속 가능한 농업을 위해 어떻게 준비해왔나요?"

정민: "퇴근 후와 주말에는 지속 가능한 농업 관련 서적을 읽고, 다양한 온라인 강좌를 통해 최신 기술을 배우고 있어요. 또한, 부모님의 농장에서 직접 실험을 통해 새로운 농업 방법을 적용해보고, 농업 관련 세미나와 워크숍에 참가해 많은 지식을 쌓고 있습니다."

이지해 작가: "정민 씨, 많은 사람들이 꿈을 찾지 못해서 고민하는데, 어떻게 지속 가능한 농업이라는 꿈을 확신하게 되었나요?"

정민: "처음에는 단순히 농업에 관심이 있어서 시작했어요. 하지만 대학에서 농업의 지속 가능성 문제를 공부하면서, 우리가 농업을 개선하지 않으면 미래에 큰 문제가 생길 수 있다는 것을 깨달았어요. 부모님의 농장에서 새로운 기술을 적용해보며 그 효과를 직접 확인하면서 확신이 생겼어요."

이지해 작가: "부모님의 농장에서의 경험이 큰 동기부여가 되었군요. 그 과정에서 가장 도움이 되었던 경험은 무엇이었나요?"

정민: "부모님의 농장에서 지속 가능한 농업 방법을 적용해본 경험이 가장 큰 도움이 되었어요. 그때 많은 문제를 해결하며 새로운 방법을 실험해볼 수 있었고, 그 결과를 통해 큰 자신감을 얻을 수 있었어요. 또한, 다양한 농업 관련 세미나와 워크숍에 참가해 많은 것을 배울 수 있었어요."

이지해 작가: "주변의 지지와 다양한 활동이 큰 도움이 되었군요. 정민 씨의 꿈을 지지해주는 사람들은 누구인가요?"

정민: "가족과 친구들이 항상 응원해주셨어요. 특히, 대학의 교수님과 농업 관련 네트워크에서 만난 동료들이 많은 도움을 주셨어요. 교수님은 제게 다양한 농업 기술을 가르쳐주셨고, 동료들은 함께 문제를 해결하며 많은 조언을 해주셨어요."

이지해 작가: "주변의 지지와 응원이 큰 힘이 되었군요. 그렇다면, 정민 씨가 꿈을 실현하기 위해 현재 실천하고 있는 구체적인 행동들이 무엇인가요?"

정민: "퇴근 후와 주말에는 지속 가능한 농업 관련 서적을 읽고, 다양한 온라인 강좌를 통해 최신 기술을 배우고 있어요. 또한, 부모님의 농장에서 직접 실험을 통해 새로운 농업 방법을 적용해보고, 농업 관련 세미나와 워크숍에 꾸준히 참가하며 많은 지식을 쌓고 있습니다."

이지해 작가: "정말 꾸준히 노력하고 있군요. 지속 가능한 농업을 위해 어떤 조언을 해주고 싶나요?"

정민: "지속 가능한 방법으로 농업을 개선하려는 열정을 잃지 않고, 끊임없이 새로운 기술을 배우는 것이 중요하다고 생각해요. 실패하더라도 포기하지 않고 계속 노력하는 자세가 필요해요. 또한,

다양한 실험을 통해 자신의 경험을 쌓고, 그 결과를 통해 배운 것을 공유하는 것이 중요해요."

이지해 작가: "정민 씨, 훌륭한 조언이에요. 저도 몇 가지 조언을 덧붙이고 싶어요. 먼저, 꾸준히 학습하고 실험하는 것은 정말 중요해요. 매일 일정한 시간에 농업 관련 서적을 읽고, 실험을 통해 새로운 방법을 시도해보는 것이 필요하죠. 예를 들어, 이번 시즌에는 특정 지속 가능한 농업 기법을 완벽하게 적용하겠다는 목표를 세우면 도움이 될 거예요."

"또한, 다양한 농업 관련 세미나와 워크숍에 참여하며 자신의 경험을 쌓는 것도 중요해요. 그렇게 하면 새로운 영감을 얻을 수 있고, 자신만의 지속 가능한 농업 방식을 찾는 데 도움이 될 거예요."

"그리고 실험 결과를 공유하며 다른 농업인들과 협력하는 것도 필요해요. 다양한 사람들과의 협력을 통해 더 나은 결과를 얻고, 함께 문제를 해결하는 것이 중요해요. 이러한 모든 노력들이 모여서 꿈을 이루는 데 큰 도움이 될 거예요."

정민: "정말 감사합니다, 작가님. 말씀해주신 조언을 꼭 실천해 볼게요. 더 열심히 노력해서 지속 가능한 농업을 이루어내겠습니다."

이지해 작가: "마지막으로, 정민 씨에게 힘이 되고 영감을 주는 인용구를 하나 소개해줄래요?"

정민: "'지속 가능한 농업은 우리 모두의 미래를 지키는 길이다.' - 반기문. 이 말을 항상 마음에 새기고 있어요."

이지해 작가: "정말 멋진 말이네요. 정민 씨의 꿈을 응원합니다. 항상 긍정적인 마음가짐을 잊지 말고, 꾸준히 노력하세요!"

## 에코 디자이너를 꿈꾸는 고등학생(서현)

이지해 작가: "안녕하세요, 서현 씨. 에코 디자이너가 되겠다는 꿈을 가지게 된 특별한 계기가 있나요?"

서현: "안녕하세요, 작가님. 어렸을 때부터 디자인에 관심이 많았어요. 특히, 환경 문제에 관심을 가지게 되면서, 환경 친화적인 디자인을 통해 세상을 변화시키고 싶다는 생각이 들었어요. 그래서 에코 디자인에 대해 공부하기 시작했고, 에코 디자이너가 되기로 결심했어요."

이지해 작가: "디자인과 환경 문제에 관심이 있었군요. 그 후로 에코 디자이너가 되기 위해 어떻게 준비해왔나요?"

서현: "학교에서 미술과 디자인 수업을 들으면서 다양한 디자인 기술을 배우고 있어요. 또한, 방과 후에는 에코 디자인 관련 서적을 읽고, 온라인 강좌를 통해 최신 에코 디자인 기술을 배우고 있어요. 주말에는 다양한 디자인 워크숍에 참여하며 실력을 키우고 있습니다."

이지해 작가: "서현 씨, 많은 사람들이 꿈을 찾지 못해서 고민하는데, 어떻게 에코 디자이너라는 꿈을 확신하게 되었나요?"

서현: "처음에는 단순히 디자인이 좋아서 시작했어요. 그런데 에코 디자인 관련 프로젝트를 진행하면서, 환경을 보호하면서도 아름다운 디자인을 만들 수 있다는 것이 너무 매력적이었어요. 특히, 첫 에코 디자인 프로젝트에서 많은 사람들의 긍정적인 반응을 보며 확신이 생겼어요."

이지해 작가: "첫 에코 디자인 프로젝트 경험이 큰 동기부여가 되었군요. 그 과정에서 가장 도움이 되었던 경험은 무엇이었나요?"

서현: "첫 에코 디자인 프로젝트에서 다양한 재활용 소재를 사용해 디자인을 만들었던 경험이 가장 큰 도움이 되었어요. 그때 많은 문제를 해결하며 새로운 방법을 실험해볼 수 있었고, 그 결과를 통해 큰 자신감을 얻을 수 있었어요. 또한, 다양한 디자인 워크숍에 참여하며 많은 것을 배울 수 있었어요."

이지해 작가: "주변의 지지와 다양한 활동이 큰 도움이 되었군요. 서현 씨의 꿈을 지지해주는 사람들은 누구인가요?"

서현: "가족과 친구들이 항상 응원해주셨어요. 특히, 학교의 미술 선생님과 디자인 워크숍에서 만난 멘토들이 많은 도움을 주셨어요. 선생님과 멘토들은 제게 다양한 디자인 기술을 가르쳐주고, 실제 프로젝트를 진행하며 많은 조언을 해주셨어요."

이지해 작가: "주변의 지지와 응원이 큰 힘이 되었군요. 그렇다면, 서현 씨가 꿈을 실현하기 위해 현재 실천하고 있는 구체적인 행동들이 무엇인가요?"

서현: "매일 미술과 디자인 수업에서 배운 기술을 연습하고, 방과 후에는 에코 디자인 관련 서적을 읽고, 온라인 강좌를 통해 최신 기술을 배우고 있어요. 또한, 주말에는 다양한 디자인 워크숍에 참여하며 실력을 키우고, 에코 디자인 프로젝트를 진행하며 경험을 쌓고 있습니다."

이지해 작가: "정말 꾸준히 노력하고 있군요. 에코 디자이너가 되기 위해 어떤 조언을 해주고 싶나요?"

서현: "지속 가능성을 고려한 디자인을 하려는 열정을 잃지 않고, 끊임없이 새로운 아이디어를 시도하는 것이 중요하다고 생각해요.

실패하더라도 포기하지 않고 계속 노력하는 자세가 필요해요. 또한, 다양한 재료와 기법을 활용해 자신의 디자인 스타일을 찾는 것이 중요해요."

이지해 작가: "서현 씨, 훌륭한 조언이에요. 저도 몇 가지 조언을 덧붙이고 싶어요. 먼저, 꾸준히 연습하고 학습하는 것은 정말 중요해요. 매일 일정한 시간에 디자인을 연습하고, 목표를 세우는 것이 필요하죠. 예를 들어, 이번 학기에는 특정 재활용 소재를 활용한 디자인 프로젝트를 완성하겠다는 목표를 세우면 도움이 될 거예요."

"또한, 다양한 디자인 워크숍과 프로젝트에 참여하며 자신의 경험을 쌓는 것도 중요해요. 그렇게 하면 새로운 영감을 얻을 수 있고, 자신만의 에코 디자인 스타일을 찾는 데 도움이 될 거예요."

"그리고 사람들에게 자신의 디자인을 알리는 것도 필요해요. 전시회나 온라인 플랫폼을 통해 자신의 작품을 소개하고, 많은 사람들에게 에코 디자인의 중요성을 알리는 것이 중요해요. 이러한 모든 노력들이 모여서 꿈을 이루는 데 큰 도움이 될 거예요."

서현: "정말 감사합니다, 작가님. 말씀해주신 조언을 꼭 실천해 볼게요. 더 열심히 노력해서 훌륭한 에코 디자이너가 되겠습니다."

이지해 작가: "마지막으로, 서현 씨에게 힘이 되고 영감을 주는 인용구를 하나 소개해줄래요?"

서현: "'디자인은 세상을 변화시키는 힘이 있다.' - 빅터 파파넥. 이 말을 항상 마음에 새기고 있어요."

이지해 작가: "정말 멋진 말이네요. 서현 씨의 꿈을 응원합니다. 항상 긍정적인 마음가짐을 잊지 말고, 꾸준히 노력하세요!"

제 11 장

# 경제와 금융의 꿈

경제와 금융의 꿈을 가진 수호, 준혁, 지민의 이야기를 통해 금융 분석가, 투자 전문가, 경제학 교수로서의 목표를 달성하기 위한 다양한 노력과 긍정적인 마인드의 중요성을 다룹니다. 이들은 각자의 분야에서 성공을 위해 끊임없이 학습하고, 경험을 쌓으며, 주변의 지지와 협력을 통해 성장해 나갑니다.

## 금융 분석가를 꿈꾸는 대학생(수호)

이지해 작가: "안녕하세요, 수호 씨. 금융 분석가가 되겠다는 꿈을 가지게 된 특별한 계기가 있나요?"

수호: "안녕하세요, 작가님. 고등학교 때 경제학 수업을 들으면서 금융에 대해 처음으로 관심을 가지게 되었어요. 주식 시장의 동향을 분석하고, 경제 뉴스에서 다루는 내용들이 흥미로웠어요. 그래서 대학에서 경제학을 전공하게 되었고, 금융 분석가가 되고 싶다는 꿈을 가지게 되었어요."

이지해 작가: "경제학 수업이 큰 계기가 되었군요. 그 후로 금융 분석가가 되기 위해 어떻게 준비해왔나요?"

수호: "대학에서 경제학과 금융 관련 강의를 듣고, 금융 동아리에 가입해 다양한 프로젝트에 참여하고 있어요. 또한, 방학 때는 금융 관련 인턴십을 통해 실무 경험을 쌓고, 최신 금융 동향을 파악하기 위해 경제 관련 서적을 꾸준히 읽고 있습니다."

이지해 작가: "수호 씨, 많은 사람들이 꿈을 찾지 못해서 고민하는데, 어떻게 금융 분석가라는 꿈을 확신하게 되었나요?"

수호: "처음에는 단순히 금융이 흥미로워서 시작했어요. 그런데 대학에서 금융 관련 프로젝트를 진행하면서 실제 데이터를 분석하고, 그 결과를 통해 예측을 할 수 있다는 것이 너무 매력적이었어요. 특히, 첫 인턴십에서 얻은 경험이 큰 동기부여가 되었어요."

이지해 작가: "첫 인턴십 경험이 큰 동기부여가 되었군요. 그 과정에서 가장 도움이 되었던 경험은 무엇이었나요?"

수호: "첫 인턴십에서 다양한 금융 데이터를 분석하고, 그 결과를 바탕으로 투자 전략을 세우는 경험이 가장 큰 도움이 되었어요. 그때 많은 문제를 해결하며 실무 경험을 쌓을 수 있었고, 팀원들과의 협력을 통해 많은 것을 배울 수 있었어요. 또한, 다양한 금융 세미나와 워크숍에 참여하며 최신 동향을 파악할 수 있었어요."

이지해 작가: "주변의 지지와 다양한 활동이 큰 도움이 되었군요. 수호 씨의 꿈을 지지해주는 사람들은 누구인가요?"

수호: "가족과 친구들이 항상 응원해주셨어요. 특히, 대학의 교수님과 금융 동아리 친구들이 많은 도움을 주셨어요. 교수님은 제게 다양한 금융 분석 기법을 가르쳐주셨고, 동아리 친구들은 함께 프로젝트를 진행하며 서로의 아이디어를 발전시켜주었어요."

이지해 작가: "주변의 지지와 응원이 큰 힘이 되었군요. 그렇다면, 수호 씨가 꿈을 실현하기 위해 현재 실천하고 있는 구체적인 행동들이 무엇인가요?"

수호: "매일 최신 금융 뉴스를 분석하고, 대학에서 배운 금융 이론을 실제 데이터에 적용해보는 연습을 하고 있어요. 또한, 금융 동아리에서 다양한 프로젝트를 진행하며 실무 경험을 쌓고, 금융 관련 인턴십을 통해 현장에서의 경험을 쌓고 있습니다."

이지해 작가: "정말 꾸준히 노력하고 있군요. 금융 분석가가 되기 위해 어떤 조언을 해주고 싶나요?"

수호: "끊임없이 학습하고, 실제 데이터를 분석해보는 경험이 중요하다고 생각해요. 실패하더라도 포기하지 않고 계속 도전하는

자세가 필요해요. 또한, 다양한 금융 관련 프로젝트에 참여하며 실무 경험을 쌓는 것이 중요하다고 생각합니다."

이지해 작가: "수호 씨, 훌륭한 조언이에요. 저도 몇 가지 조언을 덧붙이고 싶어요. 먼저, 꾸준히 학습하고 연습하는 것은 정말 중요해요. 매일 일정한 시간에 금융 데이터를 분석하고, 목표를 세우는 것이 필요하죠. 예를 들어, 이번 학기에는 특정 금융 분석 기법을 완벽하게 익히겠다는 목표를 세우면 도움이 될 거예요."

"또한, 다양한 금융 인턴십과 프로젝트에 참여하며 자신의 경험을 쌓는 것도 중요해요. 그렇게 하면 새로운 영감을 얻을 수 있고, 자신만의 금융 분석 스타일을 찾는 데 도움이 될 거예요."

"그리고 금융 시장의 변화를 주의 깊게 관찰하는 것도 필요해요. 금융 뉴스와 보고서를 꾸준히 읽고, 시장의 변화를 파악하며 분석하는 것이 중요해요. 이러한 모든 노력들이 모여서 꿈을 이루는 데 큰 도움이 될 거예요."

수호: "정말 감사합니다, 작가님. 말씀해주신 조언을 꼭 실천해 볼게요. 더 열심히 노력해서 훌륭한 금융 분석가가 되겠습니다."

이지해 작가: "마지막으로, 수호 씨에게 힘이 되고 영감을 주는 인용구를 하나 소개해줄래요?"

수호: "'금융 시장은 인내와 끈기를 요구한다. 성공은 그 두 가지 덕목을 가진 자에게 온다.' - 워렌 버핏. 이 말을 항상 마음에 새기고 있어요."

이지해 작가: "정말 멋진 말이네요. 수호 씨의 꿈을 응원합니다. 항상 긍정적인 마음가짐을 잊지 말고, 꾸준히 노력하세요!"

## 투자 전문가를 꿈꾸는 직장인(준혁)

이지해 작가: "안녕하세요, 준혁 씨. 투자 전문가가 되겠다는 꿈을 가지게 된 특별한 계기가 있나요?"

준혁: "안녕하세요, 작가님. 직장에서 다양한 투자를 분석하고 관리하는 일을 하면서 투자 전문가가 되고 싶다는 생각을 하게 되었어요. 특히, 투자에 대한 지식이 깊어질수록 더 큰 성취감을 느꼈고, 그 분야에서 최고가 되고 싶다는 꿈을 가지게 되었어요."

이지해 작가: "직장에서의 경험이 큰 계기가 되었군요. 그 후로 투자 전문가가 되기 위해 어떻게 준비해왔나요?"

준혁: "퇴근 후와 주말에는 투자 관련 서적을 읽고, 다양한 온라인 강좌를 통해 최신 투자 기법을 배우고 있어요. 또한, 투자 클럽에 가입해 다양한 투자 전략을 토론하고, 실제 투자 경험을 쌓기 위해 소규모로 투자 활동을 시작했습니다."

이지해 작가: "준혁 씨, 많은 사람들이 꿈을 찾지 못해서 고민하는데, 어떻게 투자 전문가라는 꿈을 확신하게 되었나요?"

준혁: "처음에는 단순히 투자에 대한 호기심으로 시작했어요. 그런데 실제로 투자를 하면서 얻은 성과와 그 과정에서 배운 것들이 너무 매력적이었어요. 특히, 첫 투자에서 성공을 거두고, 그 결과를 통해 자신감을 얻으면서 확신이 생겼어요."

이지해 작가: "첫 투자 성공 경험이 큰 동기부여가 되었군요. 그 과정에서 가장 도움이 되었던 경험은 무엇이었나요?"

준혁: "첫 투자를 통해 얻은 성공 경험이 가장 큰 도움이 되었어요. 그때 많은 투자 전략을 실험해보고, 그 결과를 분석하면서 많은 것을 배울 수 있었어요. 또한, 투자 클럽에서 다양한 사람들과 투자 경험을 공유하며 많은 인사이트를 얻을 수 있었어요."

이지해 작가: "주변의 지지와 다양한 활동이 큰 도움이 되었군요. 준혁 씨의 꿈을 지지해주는 사람들은 누구인가요?"

준혁: "가족과 동료들이 항상 응원해주셨어요. 특히, 직장의 상사와 투자 클럽의 멤버들이 많은 도움을 주셨어요. 상사는 제게 다양한 투자 기법을 가르쳐주셨고, 클럽 멤버들은 함께 투자 전략을 토론하며 서로의 아이디어를 발전시켜주었어요."

이지해 작가: "주변의 지지와 응원이 큰 힘이 되었군요. 그렇다면, 준혁 씨가 꿈을 실현하기 위해 현재 실천하고 있는 구체적인 행동들이 무엇인가요?"

준혁: "퇴근 후와 주말마다 투자 관련 서적을 읽고, 다양한 온라인 강좌를 통해 최신 투자 기법을 배우고 있어요. 또한, 투자 클럽에 가입해 다양한 투자 전략을 토론하고, 실제 투자 경험을 쌓기 위해 소규모로 투자 활동을 시작했습니다."

이지해 작가: "정말 꾸준히 노력하고 있군요. 투자 전문가가 되기 위해 어떤 조언을 해주고 싶나요?"

준혁: "자신의 투자 전략에 대한 믿음을 잃지 않고, 끊임없이 학습하는 것이 중요하다고 생각해요. 실패하더라도 포기하지 않고

계속 도전하는 자세가 필요해요. 또한, 다양한 투자 경험을 쌓으며 자신의 전략을 발전시키는 것이 중요해요."

이지해 작가: "준혁 씨, 훌륭한 조언이에요. 저도 몇 가지 조언을 덧붙이고 싶어요. 먼저, 꾸준히 학습하고 실험하는 것은 정말 중요해요. 매일 일정한 시간에 투자 관련 서적을 읽고, 실제로 투자해보는 경험을 쌓는 것이 필요하죠. 예를 들어, 이번 달에는 특정 투자 기법을 완벽하게 이해하겠다는 목표를 세우면 도움이 될 거예요."

"또한, 다양한 투자 클럽과 세미나에 참여하며 자신의 경험을 쌓는 것도 중요해요. 그렇게 하면 새로운 영감을 얻을 수 있고, 자신만의 투자 전략을 찾는 데 도움이 될 거예요."

"그리고 시장의 변화를 주의 깊게 관찰하는 것도 필요해요. 경제 뉴스와 보고서를 꾸준히 읽고, 시장의 변화를 파악하며 분석하는 것이 중요해요. 이러한 모든 노력들이 모여서 꿈을 이루는 데 큰 도움이 될 거예요."

준혁: "정말 감사합니다, 작가님. 말씀해주신 조언을 꼭 실천해 볼게요. 더 열심히 노력해서 훌륭한 투자 전문가가 되겠습니다."

이지해 작가: "마지막으로, 준혁 씨에게 힘이 되고 영감을 주는 인용구를 하나 소개해줄래요?"

준혁: "'성공적인 투자는 인내와 통찰력의 결과다.' - 피터 린치. 이 말을 항상 마음에 새기고 있어요."

이지해 작가: "정말 멋진 말이네요. 준혁 씨의 꿈을 응원합니다. 항상 긍정적인 마음가짐을 잊지 말고, 꾸준히 노력하세요!"

## 경제학 교수를 꿈꾸는 대학원생(지민)

이지해 작가: "안녕하세요, 지민 씨. 경제학 교수가 되겠다는 꿈을 가지게 된 특별한 계기가 있나요?"

지민: "안녕하세요, 작가님. 학부 시절 경제학 수업을 들으면서 경제학에 대한 깊은 흥미를 가지게 되었어요. 특히, 경제 이론을 통해 사회 문제를 분석하고 해결할 수 있다는 점이 매력적이었어요. 그래서 대학원에 진학해 경제학을 더 깊이 공부하고, 교수로서 학생들에게 경제학을 가르치고 싶다는 꿈을 가지게 되었어요."

이지해 작가: "경제 이론이 큰 영향을 주었군요. 그 후로 경제학 교수가 되기 위해 어떻게 준비해왔나요?"

지민: "대학원에서 경제학 관련 연구를 진행하며 논문을 작성하고, 다양한 학회에 참여해 발표하고 있어요. 또한, 학부생들을 위한 강의를 준비하며 교수님들의 조언을 받으며 실력을 쌓고 있습니다. 방학 때는 경제 연구소에서 인턴십을 통해 실무 경험을 쌓고 있습니다."

이지해 작가: "지민 씨, 많은 사람들이 꿈을 찾지 못해서 고민하는데, 어떻게 경제학 교수라는 꿈을 확신하게 되었나요?"

지민: "처음에는 단순히 경제학이 흥미로워서 시작했어요. 그런데 대학원에서 연구를 진행하면서 경제학을 통해 사회 문제를 분석하고 해결하는 과정이 너무 매력적이었어요. 특히, 첫 학회 발표에서 많은 학자들의 피드백을 받으며 확신이 생겼어요."

이지해 작가: "첫 학회 발표 경험이 큰 동기부여가 되었군요. 그

과정에서 가장 도움이 되었던 경험은 무엇이었나요?"

지민: "첫 학회에서 논문을 발표한 경험이 가장 큰 도움이 되었어요. 그때 많은 학자들과의 토론을 통해 새로운 인사이트를 얻을 수 있었고, 연구 방향을 더욱 명확히 할 수 있었어요. 또한, 경제 연구소에서의 인턴십을 통해 다양한 실무 경험을 쌓을 수 있었어요."

이지해 작가: "주변의 지지와 다양한 활동이 큰 도움이 되었군요. 지민 씨의 꿈을 지지해주는 사람들은 누구인가요?"

지민: "가족과 친구들이 항상 응원해주셨어요. 특히, 대학의 교수님들과 대학원 동료들이 많은 도움을 주셨어요. 교수님은 제게 다양한 연구 방법을 가르쳐주셨고, 동료들은 함께 연구하며 서로의 아이디어를 발전시켜주었어요."

이지해 작가: "주변의 지지와 응원이 큰 힘이 되었군요. 그렇다면, 지민 씨가 꿈을 실현하기 위해 현재 실천하고 있는 구체적인 행동들이 무엇인가요?"

지민: "매일 연구실에서 경제학 관련 연구를 진행하며 논문을 작성하고, 다양한 학회에 참여해 발표하고 있어요. 또한, 학부생들을 위한 강의를 준비하며 교수님들의 조언을 받으며 실력을 쌓고 있습니다. 방학 때는 경제 연구소에서 인턴십을 통해 실무 경험을 쌓고 있습니다."

이지해 작가: "정말 꾸준히 노력하고 있군요. 경제학 교수가 되기 위해 어떤 조언을 해주고 싶나요?"

지민: "끊임없이 학습하고 연구하는 자세가 중요하다고 생각해요. 실패하더라도 포기하지 않고 계속 도전하는 것이 필요해요. 또한, 다양한 학회와 세미나에 참여하며 최신 동향을 파악하고, 실무 경험을 쌓는 것도 중요하다고 생각합니다."

이지해 작가: "지민 씨, 훌륭한 조언이에요. 저도 몇 가지 조언을 덧붙이고 싶어요. 먼저, 꾸준히 연구하고 학습하는 것은 정말 중요해요. 매일 일정한 시간에 연구를 하고, 목표를 세우는 것이 필요하죠. 예를 들어, 이번 학기에는 특정 경제 이론을 깊이 파고들겠다는 목표를 세우면 도움이 될 거예요."

"또한, 다양한 학회와 세미나에 참여하며 자신의 경험을 쌓는 것도 중요해요. 그렇게 하면 새로운 영감을 얻을 수 있고, 자신만의 연구 방향을 설정하는 데 도움이 될 거예요."

"그리고 학생들에게 경제학을 가르치는 일도 중요해요. 학생들의 피드백을 듣고, 그에 맞춰 강의를 개선하는 것이 중요해요. 이러한 모든 노력들이 모여서 꿈을 이루는 데 큰 도움이 될 거예요."

지민: "정말 감사합니다, 작가님. 말씀해주신 조언을 꼭 실천해 볼게요. 더 열심히 노력해서 훌륭한 경제학 교수가 되겠습니다."

이지해 작가: "마지막으로, 지민 씨에게 힘이 되고 영감을 주는 인용구를 하나 소개해줄래요?"

지민: "'교육은 세상을 변화시키는 가장 강력한 무기다.' - 넬슨 만델라. 이 말을 항상 마음에 새기고 있어요."

이지해 작가: "정말 멋진 말이네요. 지민 씨의 꿈을 응원합니다.

제 12 장

# 인문학과 철학의 꿈

인문학과 철학의 꿈에서는 철학 교수, 문학 평론가, 시인을 꿈꾸는 사람들이 어떻게 열정과 끈기를 가지고 자신의 꿈을 향해 노력하는지, 그리고 그 과정에서 얻은 교훈과 성취를 다룹니다. 각자의 꿈을 이루기 위해 다양한 방법으로 도전하며 지속적으로 성장해 나가는 모습을 보여줍니다.

## 철학 교수를 꿈꾸는 대학생(도영)

이지해 작가: "안녕하세요, 도영 씨. 철학 교수가 되겠다는 꿈을 가지게 된 특별한 계기가 있나요?"

도영: "안녕하세요, 작가님. 고등학교 때 철학 수업을 들으면서 철학에 대한 흥미가 생겼어요. 특히, 인생과 존재에 대해 깊이 고민하고 토론하는 과정이 너무 매력적이었어요. 그래서 대학에서 철학을 전공하게 되었고, 철학 교수가 되어 더 많은 사람들과 철학을 나누고 싶다는 꿈을 가지게 되었어요."

이지해 작가: "철학 수업이 큰 계기가 되었군요. 그 후로 철학 교수가 되기 위해 어떻게 준비해왔나요?"

도영: "대학에서 철학 강의를 듣고, 철학 동아리에 가입해 다양한 철학적 주제를 토론하고 있어요. 또한, 철학 관련 서적을 많이 읽고, 철학 논문을 작성하며 깊이 있는 연구를 진행하고 있어요. 방학 때는 철학 관련 세미나와 워크숍에 참가해 다양한 학자들과의 교류를 통해 많은 것을 배우고 있습니다."

이지해 작가: "도영 씨, 많은 사람들이 꿈을 찾지 못해서 고민하는데, 어떻게 철학 교수라는 꿈을 확신하게 되었나요?"

도영: "처음에는 단순히 철학이 흥미로워서 시작했어요. 그런데 대학에서 철학 논문을 작성하고 발표하면서, 철학을 통해 세상을 보는 시각이 넓어지는 것을 느꼈어요. 특히, 첫 논문 발표에서 많은 교수님들의 피드백을 받으며 철학 교수가 되겠다는 확신이 생겼어요."

이지해 작가: "첫 논문 발표 경험이 큰 동기부여가 되었군요. 그 과정에서 가장 도움이 되었던 경험은 무엇이었나요?"

도영: "첫 논문 발표에서 다양한 철학적 논의를 통해 새로운 인사이트를 얻은 경험이 가장 큰 도움이 되었어요. 그때 많은 교수님들과의 토론을 통해 철학적 사고를 더욱 깊이 있게 할 수 있었고, 자신감을 얻을 수 있었어요. 또한, 철학 세미나와 워크숍에 참가해 다양한 학자들과 교류하며 많은 것을 배울 수 있었어요."

이지해 작가: "주변의 지지와 다양한 활동이 큰 도움이 되었군요. 도영 씨의 꿈을 지지해주는 사람들은 누구인가요?"

도영: "가족과 친구들이 항상 응원해주셨어요. 특히, 대학의 철학 교수님들과 철학 동아리 친구들이 많은 도움을 주셨어요. 교수님들은 제게 다양한 철학 이론과 연구 방법을 가르쳐주셨고, 친구들은 함께 토론하며 서로의 생각을 발전시켜주었어요."

이지해 작가: "주변의 지지와 응원이 큰 힘이 되었군요. 그렇다면, 도영 씨가 꿈을 실현하기 위해 현재 실천하고 있는 구체적인 행동들이 무엇인가요?"

도영: "매일 철학 관련 서적을 읽고, 철학 논문을 작성하며 연구를 진행하고 있어요. 또한, 철학 동아리에서 다양한 철학적 주제를 토론하며 생각을 넓히고, 철학 관련 세미나와 워크숍에 꾸준히 참가해 다양한 학자들과 교류하고 있습니다."

이지해 작가: "정말 꾸준히 노력하고 있군요. 철학 교수가 되기 위해 어떤 조언을 해주고 싶나요?"

도영: "끊임없이 학습하고, 다양한 철학적 시각을 경험하는 것이 중요하다고 생각해요. 실패하더라도 포기하지 않고 계속 도전하는 자세가 필요해요. 또한, 다양한 철학적 논의에 참여하며 자신의 사고를 발전시키는 것이 중요하다고 생각합니다."

이지해 작가: "도영 씨, 훌륭한 조언이에요. 저도 몇 가지 조언을 덧붙이고 싶어요. 먼저, 꾸준히 학습하고 연구하는 것은 정말 중요해요. 매일 일정한 시간에 철학 서적을 읽고, 논문을 작성하며 목표를 세우는 것이 필요하죠. 예를 들어, 이번 학기에는 특정 철학 이론을 깊이 있게 연구하겠다는 목표를 세우면 도움이 될 거예요."

"또한, 다양한 철학 세미나와 워크숍에 참여하며 자신의 경험을 쌓는 것도 중요해요. 그렇게 하면 새로운 영감을 얻을 수 있고, 자신만의 철학적 사고를 발전시키는 데 도움이 될 거예요."

"그리고 학생들에게 철학을 가르치는 일도 중요해요. 학생들의 피드백을 듣고, 그에 맞춰 강의를 개선하는 것이 중요해요. 이러한 모든 노력들이 모여서 꿈을 이루는 데 큰 도움이 될 거예요."

도영: "정말 감사합니다, 작가님. 말씀해주신 조언을 꼭 실천해 볼게요. 더 열심히 노력해서 훌륭한 철학 교수가 되겠습니다."

이지해 작가: "마지막으로, 도영 씨에게 힘이 되고 영감을 주는 인용구를 하나 소개해줄래요?"

도영: "'철학은 모든 학문의 기초다.' - 아리스토텔레스. 이 말을 항상 마음에 새기고 있어요."

이지해 작가: "정말 멋진 말이네요. 도영 씨의 꿈을 응원합니다. 항상 긍정적인 마음가짐을 잊지 말고, 꾸준히 노력하세요!"

## 문학 평론가를 꿈꾸는 직장인(민영)

이지해 작가: "안녕하세요, 민영 씨. 문학 평론가가 되겠다는 꿈을 가지게 된 특별한 계기가 있나요?"

민영: "안녕하세요, 작가님. 어렸을 때부터 책을 좋아했어요. 다양한 문학 작품을 읽으면서 작가들의 생각과 감정을 이해하는 것이 너무 매력적이었어요. 그래서 대학에서 문학을 전공하게 되었고, 졸업 후에는 문학 관련 일을 하며 문학 평론가가 되고 싶다는 꿈을 가지게 되었어요."

이지해 작가: "문학 작품이 큰 영향을 주었군요. 그 후로 문학 평론가가 되기 위해 어떻게 준비해왔나요?"

민영: "퇴근 후와 주말에는 문학 관련 서적을 읽고, 문학 동아리에 가입해 다양한 문학 작품을 토론하고 있어요. 또한, 문학 관련 세미나와 강연에 참여하며 많은 지식을 쌓고, 문학 평론을 직접 작성해 블로그에 게시하며 피드백을 받고 있습니다."

이지해 작가: "민영 씨, 많은 사람들이 꿈을 찾지 못해서 고민하는데, 어떻게 문학 평론가라는 꿈을 확신하게 되었나요?"

민영: "처음에는 단순히 문학이 좋아서 시작했어요. 그런데 대학에서 문학을 깊이 있게 공부하고, 다양한 문학 작품을 분석하면서 문학 평론에 대한 흥미가 생겼어요. 특히, 첫 문학 평론을 작성해 블로그에 올렸을 때 많은 사람들의 긍정적인 반응을 보며 확신이 생겼어요."

이지해 작가: "첫 문학 평론 작성 경험이 큰 동기부여가 되었군요. 그 과정에서 가장 도움이 되었던 경험은 무엇이었나요?"

민영: "첫 문학 평론을 작성하고 블로그에 올린 경험이 가장 큰 도움이 되었어요. 그때 많은 사람들의 피드백을 받으며 제 글에 대한 자신감을 얻을 수 있었어요. 또한, 다양한 문학 세미나와 강연에 참여하며 많은 것을 배울 수 있었어요."

이지해 작가: "주변의 지지와 다양한 활동이 큰 도움이 되었군요. 민영 씨의 꿈을 지지해주는 사람들은 누구인가요?"

민영: "가족과 친구들이 항상 응원해주셨어요. 특히, 대학의 문학 교수님들과 문학 동아리 친구들이 많은 도움을 주셨어요. 교수님들은 제게 다양한 문학 이론과 분석 방법을 가르쳐주셨고, 친구들은 함께 작품을 토론하며 서로의 생각을 발전시켜주었어요."

이지해 작가: "주변의 지지와 응원이 큰 힘이 되었군요. 그렇다면, 민영 씨가 꿈을 실현하기 위해 현재 실천하고 있는 구체적인 행동들이 무엇인가요?"

민영: "퇴근 후와 주말에는 문학 관련 서적을 읽고, 문학 평론을 작성하며 블로그에 게시하고 있어요. 또한, 문학 동아리에서 다양한 문학 작품을 토론하며 생각을 넓히고, 문학 관련 세미나와 강연에 꾸준히 참여하며 많은 지식을 쌓고 있습니다."

이지해 작가: "정말 꾸준히 노력하고 있군요. 문학 평론가가 되기 위해 어떤 조언을 해주고 싶나요?"

민영: "끊임없이 독서하고, 다양한 문학 작품을 분석하는 것이

중요하다고 생각해요. 실패하더라도 포기하지 않고 계속 도전하는 자세가 필요해요. 또한, 다양한 문학 작품에 대한 평론을 작성하며 자신의 글쓰기 스타일을 찾는 것이 중요하다고 생각합니다."

이지해 작가: "민영 씨, 훌륭한 조언이에요. 저도 몇 가지 조언을 덧붙이고 싶어요. 먼저, 꾸준히 독서하고 분석하는 것은 정말 중요해요. 매일 일정한 시간에 문학 서적을 읽고, 평론을 작성하며 목표를 세우는 것이 필요하죠. 예를 들어, 이번 달에는 특정 작가의 작품을 집중적으로 분석하겠다는 목표를 세우면 도움이 될 거예요."

"또한, 다양한 문학 세미나와 강연에 참여하며 자신의 경험을 쌓는 것도 중요해요. 그렇게 하면 새로운 영감을 얻을 수 있고, 자신만의 문학 평론 스타일을 찾는 데 도움이 될 거예요."

"그리고 독자들과의 소통도 필요해요. 블로그나 소셜 미디어를 통해 독자들의 피드백을 듣고, 그에 맞춰 글을 개선하는 것이 중요해요. 이러한 모든 노력들이 모여서 꿈을 이루는 데 큰 도움이 될 거예요."

민영: "정말 감사합니다, 작가님. 말씀해주신 조언을 꼭 실천해 볼게요. 더 열심히 노력해서 훌륭한 문학 평론가가 되겠습니다."

이지해 작가: "마지막으로, 민영 씨에게 힘이 되고 영감을 주는 인용구를 하나 소개해줄래요?"

민영: "'문학은 인생의 거울이다.' - 오스카 와일드. 이 말을 항상 마음에 새기고 있어요."

이지해 작가: "정말 멋진 말이네요. 민영 씨의 꿈을 응원합니다. 항상 긍정적인 마음가짐을 잊지 말고, 꾸준히 노력하세요!"

## 시인이 되고 싶은 고등학생(혜원)

이지해 작가: "안녕하세요, 혜원 씨. 시인이 되겠다는 꿈을 가지게 된 특별한 계기가 있나요?"

혜원: "안녕하세요, 작가님. 어렸을 때부터 글쓰기를 좋아했어요. 특히, 시를 통해 제 감정을 표현하는 것이 너무 좋았어요. 중학교 때 시 대회에서 상을 받으면서 시인이 되고 싶다는 꿈을 가지게 되었어요."

이지해 작가: "시 대회가 큰 계기가 되었군요. 그 후로 시인이 되기 위해 어떻게 준비해왔나요?"

혜원: "매일 시를 쓰고, 다양한 시집을 읽으며 시에 대한 이해를 넓히고 있어요. 또한, 학교에서 문예부 활동을 하며 다른 학생들과 시를 공유하고, 시 창작 워크숍에 참여해 많은 것을 배우고 있습니다. 주말에는 시 관련 세미나와 강연에 참가해 시인들의 경험을 들으며 영감을 얻고 있어요."

이지해 작가: "혜원 씨, 많은 사람들이 꿈을 찾지 못해서 고민하는데, 어떻게 시인이라는 꿈을 확신하게 되었나요?"

혜원: "처음에는 단순히 시를 쓰는 것이 좋아서 시작했어요. 그런데 중학교 시 대회에서 상을 받으면서, 제 시를 통해 많은 사람들이 감동을 받는다는 것이 너무 매력적이었어요. 특히, 첫 시집을 출판한 후 많은 사람들의 긍정적인 반응을 보며 확신이 생겼어요."

이지해 작가: "첫 시집 출판 경험이 큰 동기부여가 되었군요. 그 과정에서 가장 도움이 되었던 경험은 무엇이었나요?"

혜원: "첫 시집을 출판하고 독자들의 피드백을 받은 경험이 가장 큰 도움이 되었어요. 그때 많은 사람들의 반응을 보며 제 시에 대한 자신감을 얻을 수 있었어요. 또한, 시 창작 워크숍과 시 관련 세미나에 참여하며 많은 것을 배울 수 있었어요."

이지해 작가: "주변의 지지와 다양한 활동이 큰 도움이 되었군요. 혜원 씨의 꿈을 지지해주는 사람들은 누구인가요?"

혜원: "가족과 친구들이 항상 응원해주셨어요. 특히, 학교의 문예부 선생님과 시 창작 워크숍에서 만난 멘토들이 많은 도움을 주셨어요. 선생님과 멘토들은 제게 다양한 시 창작 기법을 가르쳐주고, 실제 작품을 통해 많은 조언을 해주셨어요."

이지해 작가: "주변의 지지와 응원이 큰 힘이 되었군요. 그렇다면, 혜원 씨가 꿈을 실현하기 위해 현재 실천하고 있는 구체적인 행동들이 무엇인가요?"

혜원: "매일 시를 쓰고, 다양한 시집을 읽으며 시에 대한 이해를 넓히고 있어요. 또한, 학교에서 문예부 활동을 하며 다른 학생들과 시를 공유하고, 시 창작 워크숍에 참여해 많은 것을 배우고 있습니다. 주말에는 시 관련 세미나와 강연에 참가해 시인들의 경험을 들으며 영감을 얻고 있어요."

이지해 작가: "정말 꾸준히 노력하고 있군요. 시인이 되기 위해 어떤 조언을 해주고 싶나요?"

혜원: "자신의 감정을 솔직하게 표현하는 것이 중요하다고 생각해요. 실패하더라도 포기하지 않고 계속 도전하는 자세가 필요해요. 또한, 다양한 시를 읽고 쓰며 자신의 시 창작 스타일을 찾는 것이 중요하다고 생각합니다."

이지해 작가: "혜원 씨, 훌륭한 조언이에요. 저도 몇 가지 조언을 덧붙이고 싶어요. 먼저, 꾸준히 시를 쓰고 읽는 것은 정말 중요해요. 매일 일정한 시간에 시를 쓰고, 목표를 세우는 것이 필요하죠. 예를 들어, 이번 달에는 특정 주제로 시를 완성하겠다는 목표를 세우면 도움이 될 거예요."

"또한, 다양한 시 창작 워크숍과 세미나에 참여하며 자신의 경험을 쌓는 것도 중요해요. 그렇게 하면 새로운 영감을 얻을 수 있고, 자신만의 시 창작 스타일을 찾는 데 도움이 될 거예요."

"그리고 독자들과의 소통도 필요해요. 시를 출판하고 독자들의 피드백을 듣고, 그에 맞춰 시를 개선하는 것이 중요해요. 이러한 모든 노력들이 모여서 꿈을 이루는 데 큰 도움이 될 거예요."

혜원: "정말 감사합니다, 작가님. 말씀해주신 조언을 꼭 실천해볼게요. 더 열심히 노력해서 훌륭한 시인이 되겠습니다."

이지해 작가: "마지막으로, 혜원 씨에게 힘이 되고 영감을 주는 인용구를 하나 소개해줄래요?"

혜원: "'시는 마음의 언어다.' - 로버트 프로스트. 이 말을 항상 마음에 새기고 있어요."

이지해 작가: "정말 멋진 말이네요. 혜원 씨의 꿈을 응원합니다. 항상 긍정적인 마음가짐을 잊지 말고, 꾸준히 노력하세요!"

제 13 장

# 예술과 디자인의 꿈

예술과 디자인의 꿈에서는 그래픽 디자이너, 인테리어 디자이너, 패션 일러스트레이터를 꿈꾸는 사람들이 각자의 꿈을 향해 나아가는 과정과 그들의 노력, 도전, 성장을 다룹니다. 이들은 열정과 꾸준한 연습을 통해 자신만의 스타일을 발견하고, 다양한 프로젝트와 협업을 통해 꿈을 이루어갑니다.

## 그래픽 디자이너를 꿈꾸는 대학생(지후)

이지해 작가: "안녕하세요, 지후 씨. 그래픽 디자이너가 되겠다는 꿈을 가지게 된 특별한 계기가 있나요?"

지후: "안녕하세요, 작가님. 어렸을 때부터 그림 그리기를 좋아했어요. 중학교 때 포토샵을 처음 접하면서 디지털 아트에 흥미를 가지게 되었고, 고등학교 때는 학교 신문을 디자인하면서 그래픽 디자인의 매력에 빠지게 되었어요. 그래서 대학에서 시각 디자인을 전공하게 되었죠."

이지해 작가: "디지털 아트와 학교 신문 디자인이 큰 계기가 되었군요. 그 후로 그래픽 디자이너가 되기 위해 어떻게 준비해왔나요?"

지후: "대학에서 시각 디자인을 전공하며 다양한 디자인 수업을 듣고, 여러 프로젝트에 참여하고 있어요. 또한, 디자인 동아리에서 활동하며 다른 학생들과 협업하고, 방학 때는 디자인 스튜디오에서 인턴십을 통해 실무 경험을 쌓고 있습니다. 다양한 디자인 경연대회에도 참가해 제 실력을 검증받고 있어요."

이지해 작가: "지후 씨, 많은 사람들이 꿈을 찾지 못해서 고민하는데, 어떻게 그래픽 디자이너라는 꿈을 확신하게 되었나요?"

지후: "처음에는 단순히 그림 그리는 것이 좋아서 시작했어요. 그런데 고등학교 때 학교 신문 디자인을 맡으면서, 제 디자인이 실제로 사용되고 많은 사람들에게 보여진다는 것이 너무 매력적이었어요. 특히, 대학에서 첫 디자인 프로젝트를 성공적으로 마치고, 교수님과 동료들의 긍정적인 평가를 받으며 확신이 생겼어요."

이지해 작가: "첫 디자인 프로젝트 경험이 큰 동기부여가 되었군요. 그 과정에서 가장 도움이 되었던 경험은 무엇이었나요?"

지후: "첫 디자인 프로젝트에서 다양한 디자인 요소를 조합해 하나의 작품을 완성한 경험이 가장 큰 도움이 되었어요. 그때 많은 도전과 실수를 통해 많은 것을 배웠고, 그 결과물을 통해 큰 자신감을 얻을 수 있었어요. 또한, 디자인 경연대회에서 입상하며 제 실력을 검증받을 수 있었어요."

이지해 작가: "주변의 지지와 다양한 활동이 큰 도움이 되었군요. 지후 씨의 꿈을 지지해주는 사람들은 누구인가요?"

지후: "가족과 친구들이 항상 응원해주셨어요. 특히, 대학의 교수님과 디자인 동아리 친구들이 많은 도움을 주셨어요. 교수님들은 제게 다양한 디자인 기법을 가르쳐주셨고, 친구들은 함께 프로젝트를 진행하며 서로의 아이디어를 발전시켜주었어요."

이지해 작가: "주변의 지지와 응원이 큰 힘이 되었군요. 그렇다면, 지후 씨가 꿈을 실현하기 위해 현재 실천하고 있는 구체적인 행동들이 무엇인가요?"

지후: "매일 디자인 관련 서적을 읽고, 다양한 디자인 툴을 연습하며 실력을 키우고 있어요. 또한, 디자인 동아리에서 프로젝트를 진행하며 협업 능력을 키우고, 방학 때는 디자인 스튜디오에서 인턴십을 통해 실무 경험을 쌓고 있습니다. 다양한 디자인 경연대회에 참가해 제 실력을 검증받고 있어요."

이지해 작가: "정말 꾸준히 노력하고 있군요. 그래픽 디자이너가 되기 위해 어떤 조언을 해주고 싶나요?"

지후: "자신의 디자인에 대한 열정을 잃지 않고, 끊임없이 새로운 아이디어를 시도하는 것이 중요하다고 생각해요. 실패하더라도 포기하지 않고 계속 노력하는 자세가 필요해요. 또한, 다양한 디자인을 경험하며 자신의 스타일을 찾는 것이 중요해요."

이지해 작가: "지후 씨, 훌륭한 조언이에요. 저도 몇 가지 조언을 덧붙이고 싶어요. 먼저, 꾸준히 디자인을 학습하고 연습하는 것은 정말 중요해요. 매일 일정한 시간에 디자인 연습을 하고, 목표를 세우는 것이 필요하죠. 예를 들어, 이번 학기에는 특정 디자인 툴을 완벽하게 익히겠다는 목표를 세우면 도움이 될 거예요."

"또한, 다양한 디자인 프로젝트와 경연대회에 참여하며 자신의 경험을 쌓는 것도 중요해요. 그렇게 하면 새로운 영감을 얻을 수 있고, 자신만의 디자인 스타일을 찾는 데 도움이 될 거예요."

"그리고 다른 디자이너들과의 협업을 통해 다양한 시각을 배우는 것도 필요해요. 다양한 사람들과의 협업을 통해 더 넓은 시야를 가지게 되고, 자신의 디자인에 새로운 아이디어를 적용할 수 있어요. 이러한 모든 노력들이 모여서 꿈을 이루는 데 큰 도움이 될 거예요."

지후: "정말 감사합니다, 작가님. 말씀해주신 조언을 꼭 실천해 볼게요. 더 열심히 노력해서 훌륭한 그래픽 디자이너가 되겠습니다."

이지해 작가: "마지막으로, 지후 씨에게 힘이 되고 영감을 주는 인용구를 하나 소개해줄래요?"

지후: "'디자인은 세상을 변화시키는 힘이다.' - 폴 랜드. 이 말을 항상 마음에 새기고 있어요."

이지해 작가: "정말 멋진 말이네요. 지후 씨의 꿈을 응원합니다. 항상 긍정적인 마음가짐을 잊지 말고, 꾸준히 노력하세요!"

## 인테리어 디자이너를 꿈꾸는 직장인(소민)

이지해 작가: "안녕하세요, 소민 씨. 인테리어 디자이너가 되겠다는 꿈을 가지게 된 특별한 계기가 있나요?"

소민: "안녕하세요, 작가님. 어렸을 때부터 집을 꾸미는 것을 좋아했어요. 부모님과 함께 집안 인테리어를 바꿀 때마다 새로운 아이디어를 적용하는 것이 너무 재미있었어요. 그래서 직장 생활을 하면서도 인테리어 디자인에 대한 관심을 놓지 않고 공부하게 되었어요."

이지해 작가: "집을 꾸미는 경험이 큰 계기가 되었군요. 그 후로 인테리어 디자이너가 되기 위해 어떻게 준비해왔나요?"

소민: "퇴근 후와 주말에는 인테리어 디자인 관련 서적을 읽고, 다양한 온라인 강좌를 통해 최신 디자인 트렌드를 배우고 있어요. 또한, 인테리어 디자인 워크숍에 참여하며 실무 경험을 쌓고, 작은 프로젝트를 통해 직접 디자인을 적용해보는 연습을 하고 있습니다."

이지해 작가: "소민 씨, 많은 사람들이 꿈을 찾지 못해서 고민하는데, 어떻게 인테리어 디자이너라는 꿈을 확신하게 되었나요?"

소민: "처음에는 단순히 집을 꾸미는 것이 좋아서 시작했어요. 그런데 직장에서 작은 인테리어 프로젝트를 맡게 되면서, 제 디자인이 실제로 적용되고 사람들에게 긍정적인 반응을 받는 것이 너무 매력적이었어요. 특히, 첫 프로젝트를 성공적으로 마치고, 고객의 만족스러운 반응을 보며 확신이 생겼어요."

이지해 작가: "첫 프로젝트 경험이 큰 동기부여가 되었군요. 그 과정에서 가장 도움이 되었던 경험은 무엇이었나요?"

소민: "첫 인테리어 프로젝트에서 다양한 디자인 요소를 조합해 하나의 공간을 완성한 경험이 가장 큰 도움이 되었어요. 그때 많은 도전과 실수를 통해 많은 것을 배웠고, 그 결과물을 통해 큰 자신감을 얻을 수 있었어요. 또한, 인테리어 디자인 워크숍에 참여하며 많은 것을 배울 수 있었어요."

이지해 작가: "주변의 지지와 다양한 활동이 큰 도움이 되었군요. 소민 씨의 꿈을 지지해주는 사람들은 누구인가요?"

소민: "가족과 친구들이 항상 응원해주셨어요. 특히, 직장의 동료들과 인테리어 디자인 워크숍에서 만난 멘토들이 많은 도움을 주셨어요. 동료들과 멘토들은 제게 다양한 디자인 기법을 가르쳐주고, 실제 프로젝트를 통해 많은 조언을 해주셨어요."

이지해 작가: "주변의 지지와 응원이 큰 힘이 되었군요. 그렇다면, 소민 씨가 꿈을 실현하기 위해 현재 실천하고 있는 구체적인 행동들이 무엇인가요?"

소민: "퇴근 후와 주말마다 인테리어 디자인 관련 서적을 읽고, 다양한 온라인 강좌를 통해 최신 트렌드를 배우고 있어요. 또한, 인테리어 디자인 워크숍에 참여하며 실무 경험을 쌓고, 작은 프로젝트를 통해 직접 디자인을 적용해보는 연습을 하고 있습니다."

이지해 작가: "정말 꾸준히 노력하고 있군요. 인테리어 디자이너가 되기 위해 어떤 조언을 해주고 싶나요?"

소민: "자신의 디자인에 대한 열정을 잃지 않고, 끊임없이 새로운 아이디어를 시도하는 것이 중요하다고 생각해요. 실패하더라도

포기하지 않고 계속 노력하는 자세가 필요해요. 또한, 다양한 디자인을 경험하며 자신의 스타일을 찾는 것이 중요해요."

이지해 작가: "소민 씨, 훌륭한 조언이에요. 저도 몇 가지 조언을 덧붙이고 싶어요. 먼저, 꾸준히 디자인을 학습하고 연습하는 것은 정말 중요해요. 매일 일정한 시간에 디자인 연습을 하고, 목표를 세우는 것이 필요하죠. 예를 들어, 이번 달에는 특정 인테리어 디자인 기법을 완벽하게 익히겠다는 목표를 세우면 도움이 될 거예요."

"또한, 다양한 인테리어 프로젝트와 워크숍에 참여하며 자신의 경험을 쌓는 것도 중요해요. 그렇게 하면 새로운 영감을 얻을 수 있고, 자신만의 디자인 스타일을 찾는 데 도움이 될 거예요."

"그리고 다른 디자이너들과의 협업을 통해 다양한 시각을 배우는 것도 필요해요. 다양한 사람들과의 협업을 통해 더 넓은 시야를 가지게 되고, 자신의 디자인에 새로운 아이디어를 적용할 수 있어요. 이러한 모든 노력들이 모여서 꿈을 이루는 데 큰 도움이 될 거예요."

소민: "정말 감사합니다, 작가님. 말씀해주신 조언을 꼭 실천해 볼게요. 더 열심히 노력해서 훌륭한 인테리어 디자이너가 되겠습니다."

이지해 작가: "마지막으로, 소민 씨에게 힘이 되고 영감을 주는 인용구를 하나 소개해줄래요?"

소민: "'공간은 사람의 삶을 반영하는 거울이다.' - 엘리자베스 앤드류. 이 말을 항상 마음에 새기고 있어요."

이지해 작가: "정말 멋진 말이네요. 소민 씨의 꿈을 응원합니다. 항상 긍정적인 마음가짐을 잊지 말고, 꾸준히 노력하세요!"

### 패션 일러스트레이터를 꿈꾸는 고등학생(민아)

이지해 작가: "안녕하세요, 민아 씨. 패션 일러스트레이터가 되겠다는 꿈을 가지게 된 특별한 계기가 있나요?"

민아: "안녕하세요, 작가님. 어렸을 때부터 패션 잡지를 보면서 다양한 의상을 그리는 것을 좋아했어요. 특히, 중학교 때 패션 일러스트레이션 수업을 들으면서, 제 그림이 실제로 옷으로 만들어지는 과정을 보고 패션 일러스트레이터가 되고 싶다는 꿈을 가지게 되었어요."

이지해 작가: "패션 잡지와 일러스트레이션 수업이 큰 계기가 되었군요. 그 후로 패션 일러스트레이터가 되기 위해 어떻게 준비해왔나요?"

민아: "매일 패션 일러스트를 그리며 실력을 키우고, 다양한 패션 잡지를 보며 최신 트렌드를 공부하고 있어요. 또한, 학교에서 패션 디자인 동아리에 가입해 다른 학생들과 협업하고, 주말에는 패션 일러스트레이션 워크숍에 참가해 많은 것을 배우고 있습니다."

이지해 작가: "민아 씨, 많은 사람들이 꿈을 찾지 못해서 고민하는데, 어떻게 패션 일러스트레이터라는 꿈을 확신하게 되었나요?"

민아: "처음에는 단순히 패션 그림 그리는 것이 좋아서 시작했어요. 그런데 중학교 때 패션 일러스트레이션 수업에서 제 그림이 실제로 옷으로 만들어지는 과정을 보고 너무 감동받았어요. 특히, 첫 워크숍에서 많은 사람들의 긍정적인 반응을 보며 확신이 생겼어요."

이지해 작가: "첫 워크숍 경험이 큰 동기부여가 되었군요. 그 과정에서 가장 도움이 되었던 경험은 무엇이었나요?"

민아: "첫 패션 일러스트레이션 워크숍에서 다양한 일러스트레이션 기법을 배우고, 제 그림을 실제 의상으로 만드는 경험이 가장 큰 도움이 되었어요. 그때 많은 도전과 실수를 통해 많은 것을 배웠고, 그 결과물을 통해 큰 자신감을 얻을 수 있었어요. 또한, 패션 디자인 동아리에서 다양한 프로젝트를 진행하며 많은 것을 배울 수 있었어요."

이지해 작가: "주변의 지지와 다양한 활동이 큰 도움이 되었군요. 민아 씨의 꿈을 지지해주는 사람들은 누구인가요?"

민아: "가족과 친구들이 항상 응원해주셨어요. 특히, 학교의 패션 디자인 선생님과 패션 디자인 동아리 친구들이 많은 도움을 주셨어요. 선생님들은 제게 다양한 일러스트레이션 기법을 가르쳐주고, 친구들은 함께 프로젝트를 진행하며 서로의 아이디어를 발전시켜주었어요."

이지해 작가: "주변의 지지와 응원이 큰 힘이 되었군요. 그렇다면, 민아 씨가 꿈을 실현하기 위해 현재 실천하고 있는 구체적인 행동들이 무엇인가요?"

민아: "매일 패션 일러스트를 그리며 실력을 키우고, 다양한 패션 잡지를 보며 최신 트렌드를 공부하고 있어요. 또한, 학교에서 패션 디자인 동아리에 가입해 다른 학생들과 협업하고, 주말에는 패션 일러스트레이션 워크숍에 참가해 많은 것을 배우고 있습니다."

이지해 작가: "정말 꾸준히 노력하고 있군요. 패션 일러스트레이터가 되기 위해 어떤 조언을 해주고 싶나요?"

민아: "자신의 그림에 대한 열정을 잃지 않고, 끊임없이 새로운 아이디어를 시도하는 것이 중요하다고 생각해요. 실패하더라도

포기하지 않고 계속 노력하는 자세가 필요해요. 또한, 다양한 패션 일러스트를 경험하며 자신의 스타일을 찾는 것이 중요해요."

이지해 작가: "민아 씨, 훌륭한 조언이에요. 저도 몇 가지 조언을 덧붙이고 싶어요. 먼저, 꾸준히 그림을 그리고 트렌드를 학습하는 것은 정말 중요해요. 매일 일정한 시간에 일러스트 연습을 하고, 목표를 세우는 것이 필요하죠. 예를 들어, 이번 학기에는 특정 일러스트레이션 기법을 완벽하게 익히겠다는 목표를 세우면 도움이 될 거예요."

"또한, 다양한 패션 프로젝트와 워크숍에 참여하며 자신의 경험을 쌓는 것도 중요해요. 그렇게 하면 새로운 영감을 얻을 수 있고, 자신만의 일러스트레이션 스타일을 찾는 데 도움이 될 거예요."

"그리고 다른 디자이너들과의 협업을 통해 다양한 시각을 배우는 것도 필요해요. 다양한 사람들과의 협업을 통해 더 넓은 시야를 가지게 되고, 자신의 일러스트에 새로운 아이디어를 적용할 수 있어요. 이러한 모든 노력들이 모여서 꿈을 이루는 데 큰 도움이 될 거예요."

민아: "정말 감사합니다, 작가님. 말씀해주신 조언을 꼭 실천해 볼게요. 더 열심히 노력해서 훌륭한 패션 일러스트레이터가 되겠습니다."

이지해 작가: "마지막으로, 민아 씨에게 힘이 되고 영감을 주는 인용구를 하나 소개해줄래요?"

민아: "'패션은 예술의 한 형태다. 그것은 우리가 누구인지, 어디로 가고 있는지를 표현하는 방법이다.' - 칼 라거펠트. 이 말을 항상 마음에 새기고 있어요."

이지해 작가: "정말 멋진 말이네요. 민아 씨의 꿈을 응원합니다. 항상 긍정적인 마음가짐을 잊지 말고, 꾸준히 노력하세요!"

제 14 장

# 정치와 리더십의 꿈

정치가, 외교관, 사회운동가를 꿈꾸는 세 사람의 이야기를 통해 다양한 정치적, 사회적 리더십의 중요성과 이를 실현하기 위한 구체적인 노력과 조언을 제시합니다. 그들의 열정과 꾸준한 노력, 실패를 두려워하지 않는 도전 정신이 꿈을 이루는 핵심임을 강조합니다.

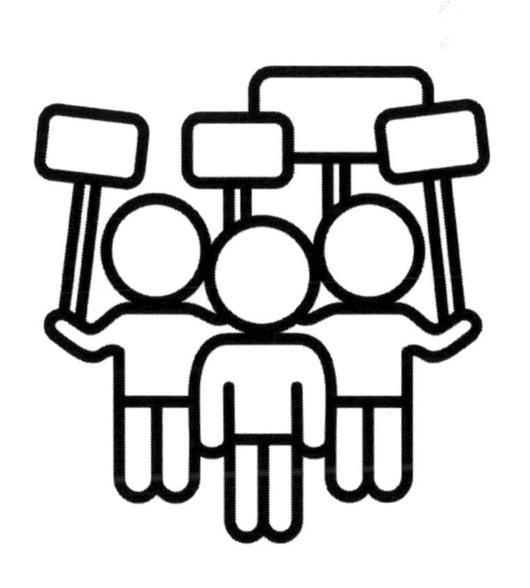

## 정치가를 꿈꾸는 대학생(지환)

이지해 작가: "안녕하세요, 지환 씨. 정치가가 되겠다는 꿈을 가지게 된 특별한 계기가 있나요?"

지환: "안녕하세요, 작가님. 고등학교 때 사회 문제에 관심을 가지게 되면서 정치에 대한 흥미가 생겼어요. 특히, 학생회 활동을 하면서 리더십을 발휘하고, 친구들과 함께 학교 문제를 해결하는 경험이 너무 좋았어요. 그래서 정치가가 되어 더 큰 사회 문제를 해결하고 싶다는 꿈을 가지게 되었어요."

이지해 작가: "학생회 활동이 큰 계기가 되었군요. 그 후로 정치가가 되기 위해 어떻게 준비해왔나요?"

지환: "대학에서 정치학을 전공하며 다양한 정치 이론과 역사에 대해 공부하고 있어요. 또한, 대학생 정치 모임에 가입해 다양한 정치 활동에 참여하고, 방학 때는 정치 관련 인턴십을 통해 실무 경험을 쌓고 있습니다. 다양한 정치 세미나와 강연에도 참여하며 지식을 넓히고 있어요."

이지해 작가: "지환 씨, 많은 사람들이 꿈을 찾지 못해서 고민하는데, 어떻게 정치가라는 꿈을 확신하게 되었나요?"

지환: "처음에는 단순히 사회 문제에 관심이 있어서 시작했어요. 그런데 대학에서 다양한 정치 활동을 하면서, 정치가가 되어 많은 사람들에게 영향을 미치고, 사회를 더 나은 곳으로 만들 수 있다는 것을 깨달았어요. 특히, 첫 정치 인턴십에서 얻은 경험이 큰 동기부여가 되었어요."

이지해 작가: "첫 정치 인턴십 경험이 큰 동기부여가 되었군요. 그 과정에서 가장 도움이 되었던 경험은 무엇이었나요?"

지환: "첫 정치 인턴십에서 다양한 정치 캠페인에 참여하고, 실제로 정책을 기획하고 실행하는 경험이 가장 큰 도움이 되었어요. 그때 많은 문제를 해결하며 실무 경험을 쌓을 수 있었고, 팀원들과의 협력을 통해 많은 것을 배울 수 있었어요. 또한, 다양한 정치 세미나와 강연에 참여하며 최신 동향을 파악할 수 있었어요."

이지해 작가: "주변의 지지와 다양한 활동이 큰 도움이 되었군요. 지환 씨의 꿈을 지지해주는 사람들은 누구인가요?"

지환: "가족과 친구들이 항상 응원해주셨어요. 특히, 대학의 교수님과 정치 모임의 동료들이 많은 도움을 주셨어요. 교수님은 제게 다양한 정치 이론과 실무 기법을 가르쳐주셨고, 동료들은 함께 활동하며 서로의 아이디어를 발전시켜주었어요."

이지해 작가: "주변의 지지와 응원이 큰 힘이 되었군요. 그렇다면, 지환 씨가 꿈을 실현하기 위해 현재 실천하고 있는 구체적인 행동들이 무엇인가요?"

지환: "매일 정치 관련 서적을 읽고, 대학에서 배운 이론을 실제 정치 활동에 적용해보는 연습을 하고 있어요. 또한, 대학생 정치 모임에서 다양한 캠페인을 기획하고, 정치 관련 인턴십을 통해 현장에서의 경험을 쌓고 있습니다. 다양한 정치 세미나와 강연에도 꾸준히 참여하고 있어요."

이지해 작가: "정말 꾸준히 노력하고 있군요. 정치가가 되기 위해 어떤 조언을 해주고 싶나요?"

지환: "끊임없이 학습하고, 다양한 정치 활동에 참여하며 경험을 쌓는 것이 중요하다고 생각해요. 실패하더라도 포기하지 않고 계속 도전하는 자세가 필요해요. 또한, 다양한 시각을 받아들이고, 열린 마음으로 사람들과 소통하는 것이 중요하다고 생각합니다."

이지해 작가: "지환 씨, 훌륭한 조언이에요. 저도 몇 가지 조언을 덧붙이고 싶어요. 먼저, 꾸준히 학습하고 활동하는 것은 정말 중요해요. 매일 일정한 시간에 정치 관련 서적을 읽고, 목표를 세우는 것이 필요하죠. 예를 들어, 이번 학기에는 특정 정치 이론을 깊이 있게 연구하겠다는 목표를 세우면 도움이 될 거예요."

"또한, 다양한 정치 인턴십과 활동에 참여하며 자신의 경험을 쌓는 것도 중요해요. 그렇게 하면 새로운 영감을 얻을 수 있고, 자신만의 정치적 시각을 발전시키는 데 도움이 될 거예요."

"그리고 다양한 사람들과의 소통을 통해 많은 것을 배울 수 있어요. 사람들의 다양한 의견을 듣고, 그에 맞춰 정책을 설계하고 실행하는 것이 중요해요. 이러한 모든 노력들이 모여서 꿈을 이루는 데 큰 도움이 될 거예요."

지환: "정말 감사합니다, 작가님. 말씀해주신 조언을 꼭 실천해 볼게요. 더 열심히 노력해서 훌륭한 정치가가 되겠습니다."

이지해 작가: "마지막으로, 지환 씨에게 힘이 되고 영감을 주는 인용구를 하나 소개해줄래요?"

지환: "'정치는 가능성의 예술이다.' - 오토 폰 비스마르크. 이 말을 항상 마음에 새기고 있어요."

이지해 작가: "정말 멋진 말이네요. 지환 씨의 꿈을 응원합니다. 항상 긍정적인 마음가짐을 잊지 말고, 꾸준히 노력하세요!"

### 외교관을 꿈꾸는 대학원생(해준)

이지해 작가: "안녕하세요, 해준 씨. 외교관이 되겠다는 꿈을 가지게 된 특별한 계기가 있나요?"

해준: "안녕하세요, 작가님. 중학교 때 외교 관련 다큐멘터리를 보고 외교관이라는 직업에 대해 처음 알게 되었어요. 다양한 국가의 문화와 언어를 배우고, 국제 문제를 해결하는 외교관의 역할이 너무 매력적으로 느껴졌어요. 그래서 대학에서 국제관계를 전공하게 되었고, 외교관이 되고 싶다는 꿈을 가지게 되었어요."

이지해 작가: "외교 관련 다큐멘터리가 큰 계기가 되었군요. 그 후로 외교관이 되기 위해 어떻게 준비해왔나요?"

해준: "대학에서 국제관계를 전공하며 다양한 국제 문제와 외교 이론을 공부하고 있어요. 또한, 다양한 국제 교류 프로그램에 참여하며 해외 경험을 쌓고, 방학 때는 외교 관련 인턴십을 통해 실무 경험을 쌓고 있습니다. 외국어 능력을 향상시키기 위해 꾸준히 공부하고, 국제 관련 세미나와 워크숍에도 참여하고 있어요."

이지해 작가: "해준 씨, 많은 사람들이 꿈을 찾지 못해서 고민하는데, 어떻게 외교관이라는 꿈을 확신하게 되었나요?"

해준: "처음에는 단순히 국제 문제에 관심이 있어서 시작했어요. 그런데 대학에서 다양한 국제 문제를 공부하고, 국제 교류 프로그램에 참여하면서 외교관이 되어 국제 문제를 해결하는 데 기여하고 싶다는 확신이 생겼어요. 특히, 첫 외교 관련 인턴십에서 얻은 경험이 큰 동기부여가 되었어요."

이지해 작가: "첫 외교 관련 인턴십 경험이 큰 동기부여가 되었군요. 그 과정에서 가장 도움이 되었던 경험은 무엇이었나요?"

해준: "첫 외교 관련 인턴십에서 다양한 국제 문제를 다루고, 실제로 외교 업무를 수행하는 경험이 가장 큰 도움이 되었어요. 그때 많은 문제를 해결하며 실무 경험을 쌓을 수 있었고, 팀원들과의 협력을 통해 많은 것을 배울 수 있었어요. 또한, 다양한 국제 세미나와 워크숍에 참여하며 최신 동향을 파악할 수 있었어요."

이지해 작가: "주변의 지지와 다양한 활동이 큰 도움이 되었군요. 해준 씨의 꿈을 지지해주는 사람들은 누구인가요?"

해준: "가족과 친구들이 항상 응원해주셨어요. 특히, 대학의 교수님과 국제 교류 프로그램에서 만난 동료들이 많은 도움을 주셨어요. 교수님은 제게 다양한 국제 문제와 외교 이론을 가르쳐주셨고, 동료들은 함께 활동하며 서로의 아이디어를 발전시켜주었어요."

이지해 작가: "주변의 지지와 응원이 큰 힘이 되었군요. 그렇다면, 해준 씨가 꿈을 실현하기 위해 현재 실천하고 있는 구체적인 행동들이 무엇인가요?"

해준: "매일 국제 관련 서적을 읽고, 대학에서 배운 이론을 실제 외교 활동에 적용해보는 연습을 하고 있어요. 또한, 다양한 국제 교류 프로그램에 참여하며 해외 경험을 쌓고, 외교 관련 인턴십을 통해 현장에서의 경험을 쌓고 있습니다. 외국어 능력을 향상시키기 위해 꾸준히 공부하고, 국제 관련 세미나와 워크숍에도 꾸준히 참여하고 있어요."

이지해 작가: "정말 꾸준히 노력하고 있군요. 외교관이 되기 위해 어떤 조언을 해주고 싶나요?"

해준: "끊임없이 학습하고, 다양한 국제 활동에 참여하며 경험을 쌓는 것이 중요하다고 생각해요. 실패하더라도 포기하지 않고 계속

도전하는 자세가 필요해요. 또한, 다양한 문화를 존중하고, 열린 마음으로 사람들과 소통하는 것이 중요하다고 생각합니다."

이지해 작가: "해준 씨, 훌륭한 조언이에요. 저도 몇 가지 조언을 덧붙이고 싶어요. 먼저, 꾸준히 학습하고 활동하는 것은 정말 중요해요. 매일 일정한 시간에 국제 관련 서적을 읽고, 목표를 세우는 것이 필요하죠. 예를 들어, 이번 학기에는 특정 국제 문제를 깊이 있게 연구하겠다는 목표를 세우면 도움이 될 거예요."

"또한, 다양한 국제 인턴십과 활동에 참여하며 자신의 경험을 쌓는 것도 중요해요. 그렇게 하면 새로운 영감을 얻을 수 있고, 자신만의 외교적 시각을 발전시키는 데 도움이 될 거예요."

"그리고 다양한 사람들과의 소통을 통해 많은 것을 배울 수 있어요. 사람들의 다양한 의견을 듣고, 그에 맞춰 외교 정책을 설계하고 실행하는 것이 중요해요. 이러한 모든 노력들이 모여서 꿈을 이루는 네 큰 도움이 될 거예요."

해준: "정말 감사합니다, 작가님. 말씀해주신 조언을 꼭 실천해 볼게요. 더 열심히 노력해서 훌륭한 외교관이 되겠습니다."

이지해 작가: "마지막으로, 해준 씨에게 힘이 되고 영감을 주는 인용구를 하나 소개해줄래요?"

해준: "'외교는 사람과 사람을 이어주는 다리이다.' - 키신저. 이 말을 항상 마음에 새기고 있어요."

이지해 작가: "정말 멋진 말이네요. 해준 씨의 꿈을 응원합니다. 항상 긍정적인 마음가짐을 잊지 말고, 꾸준히 노력하세요!"

## 사회운동가를 꿈꾸는 고등학생(정민)

이지해 작가: "안녕하세요, 정민 씨. 사회운동가가 되겠다는 꿈을 가지게 된 특별한 계기가 있나요?"

정민: "안녕하세요, 작가님. 중학교 때 학교에서 환경 보호 프로젝트를 진행하면서 사회 문제에 관심을 가지게 되었어요. 특히, 환경 문제와 관련된 다큐멘터리를 보면서 사회운동가라는 직업에 대해 알게 되었고, 사회운동가가 되어 다양한 사회 문제를 해결하고 싶다는 꿈을 가지게 되었어요."

이지해 작가: "환경 보호 프로젝트와 다큐멘터리가 큰 계기가 되었군요. 그 후로 사회운동가가 되기 위해 어떻게 준비해왔나요?"

정민: "학교에서 다양한 사회 문제와 관련된 활동에 참여하며 경험을 쌓고 있어요. 또한, 방과 후에는 사회운동 관련 서적을 읽고, 주말에는 사회운동 단체에서 자원봉사를 하며 실무 경험을 쌓고 있습니다. 다양한 사회운동 관련 세미나와 워크숍에도 참여하며 많은 지식을 쌓고 있어요."

이지해 작가: "정민 씨, 많은 사람들이 꿈을 찾지 못해서 고민하는데, 어떻게 사회운동가라는 꿈을 확신하게 되었나요?"

정민: "처음에는 단순히 환경 문제에 관심이 있어서 시작했어요. 그런데 다양한 사회 문제를 접하면서, 사회운동가가 되어 많은 사람들에게 영향을 미치고, 사회를 더 나은 곳으로 만들고 싶다는 확신이 생겼어요. 특히, 첫 자원봉사 활동에서 얻은 경험이 큰 동기부여가 되었어요."

이지해 작가: "첫 자원봉사 경험이 큰 동기부여가 되었군요. 그 과정에서 가장 도움이 되었던 경험은 무엇이었나요?"

정민: "첫 자원봉사 활동에서 다양한 사회 문제를 직접 경험하고, 그 문제를 해결하기 위해 노력한 경험이 가장 큰 도움이 되었어요. 그때 많은 사람들과 협력하며 많은 것을 배울 수 있었고, 실제로 사회 변화에 기여할 수 있다는 것을 깨달았어요. 또한, 다양한 사회운동 세미나와 워크숍에 참여하며 많은 것을 배울 수 있었어요."

이지해 작가: "주변의 지지와 다양한 활동이 큰 도움이 되었군요. 정민 씨의 꿈을 지지해주는 사람들은 누구인가요?"

정민: "가족과 친구들이 항상 응원해주셨어요. 특히, 학교의 선생님들과 사회운동 단체의 동료들이 많은 도움을 주셨어요. 선생님은 제게 다양한 사회 문제와 해결 방법을 가르쳐주셨고, 동료들은 함께 활동하며 서로의 아이디어를 발전시켜주었어요."

이지해 작가: "주변의 지지와 응원이 큰 힘이 되었군요. 그렇다면, 정민 씨가 꿈을 실현하기 위해 현재 실천하고 있는 구체적인 행동들이 무엇인가요?"

정민: "학교에서 다양한 사회 문제와 관련된 활동에 참여하며 경험을 쌓고 있어요. 또한, 방과 후에는 사회운동 관련 서적을 읽고, 주말에는 사회운동 단체에서 자원봉사를 하며 실무 경험을 쌓고 있습니다. 다양한 사회운동 관련 세미나와 워크숍에도 꾸준히 참여하고 있어요."

이지해 작가: "정말 꾸준히 노력하고 있군요. 사회운동가가 되기 위해 어떤 조언을 해주고 싶나요?"

정민: "끊임없이 학습하고, 다양한 사회운동 활동에 참여하며 경험을 쌓는 것이 중요하다고 생각해요. 실패하더라도 포기하지 않고 계속 도전하는 자세가 필요해요. 또한, 다양한 사람들의 의견을 존중하고, 그들과 협력하는 것이 중요하다고 생각합니다."

이지해 작가: "정민 씨, 훌륭한 조언이에요. 저도 몇 가지 조언을 덧붙이고 싶어요. 먼저, 꾸준히 학습하고 활동하는 것은 정말 중요해요. 매일 일정한 시간에 사회운동 관련 서적을 읽고, 목표를 세우는 것이 필요하죠. 예를 들어, 이번 학기에는 특정 사회 문제를 깊이 있게 연구하겠다는 목표를 세우면 도움이 될 거예요."

"또한, 다양한 사회운동 인턴십과 활동에 참여하며 자신의 경험을 쌓는 것도 중요해요. 그렇게 하면 새로운 영감을 얻을 수 있고, 자신만의 사회운동 방식을 발전시키는 데 도움이 될 거예요."

"그리고 다양한 사람들과의 소통을 통해 많은 것을 배울 수 있어요. 사람들의 다양한 의견을 듣고, 그에 맞춰 사회운동 전략을 설계하고 실행하는 것이 중요해요. 이러한 모든 노력들이 모여서 꿈을 이루는 데 큰 도움이 될 거예요."

정민: "정말 감사합니다, 작가님. 말씀해주신 조언을 꼭 실천해 볼게요. 더 열심히 노력해서 훌륭한 사회운동가가 되겠습니다."

이지해 작가: "마지막으로, 정민 씨에게 힘이 되고 영감을 주는 인용구를 하나 소개해줄래요?"

정민: "'세상을 바꾸는 첫 걸음은 자신을 변화시키는 것이다.' - 마하트마 간디. 이 말을 항상 마음에 새기고 있어요."

이지해 작가: "정말 멋진 말이네요. 정민 씨의 꿈을 응원합니다. 항상 긍정적인 마음가짐을 잊지 말고, 꾸준히 노력하세요!"

제 15 장

# 엔터테인먼트와 미디어의 꿈

방송 PD, 영화배우, 유튜버를 꿈꾸는 세 명의 이야기를 통해, 각자의 열정과 노력을 바탕으로 꿈을 향해 나아가는 과정을 다루고 있습니다. 그들의 도전과 성취를 통해 엔터테인먼트와 미디어 분야의 다양한 가능성과 성취 방법을 배울 수 있습니다.

### 방송 PD를 꿈꾸는 대학생(상훈)

이지해 작가: "안녕하세요, 상훈 씨. 방송 PD가 되겠다는 꿈을 가지게 된 특별한 계기가 있나요?"

상훈: "안녕하세요, 작가님. 어렸을 때부터 TV 프로그램을 보는 것을 좋아했어요. 특히, 프로그램이 어떻게 만들어지는지 궁금해서 관련 다큐멘터리를 찾아보면서 PD라는 직업에 매력을 느꼈어요. 고등학교 때 학교 방송부 활동을 하면서 실제로 프로그램을 기획하고 제작하는 경험을 하면서 방송 PD가 되기로 결심했어요."

이지해 작가: "학교 방송부 활동이 큰 계기가 되었군요. 그 후로 방송 PD가 되기 위해 어떻게 준비해왔나요?"

상훈: "대학에서 방송과 미디어를 전공하며 다양한 제작 수업을 듣고, 학교 방송국에서 활동하고 있어요. 또한, 방학 때는 방송국에서 인턴십을 통해 실무 경험을 쌓고, 다양한 방송 관련 세미나와 워크숍에 참여하며 많은 것을 배우고 있습니다. 개인적으로는 독립 다큐멘터리를 제작하면서 제작 능력을 키우고 있어요."

이지해 작가: "상훈 씨, 많은 사람들이 꿈을 찾지 못해서 고민하는데, 어떻게 방송 PD라는 꿈을 확신하게 되었나요?"

상훈: "처음에는 단순히 TV 프로그램이 좋아서 시작했어요. 그런데 학교 방송부 활동을 하면서, 제가 기획하고 제작한 프로그램이 사람들에게 전달된다는 것이 너무 매력적이었어요. 특히, 첫 독립 다큐멘터리를 제작하면서 많은 사람들의 긍정적인 반응을 보며 확신이 생겼어요."

이지해 작가: "첫 독립 다큐멘터리 제작 경험이 큰 동기부여가 되었군요. 그 과정에서 가장 도움이 되었던 경험은 무엇이었나요?"

상훈: "첫 독립 다큐멘터리 제작에서 기획, 촬영, 편집 등 모든 과정을 직접 경험한 것이 가장 큰 도움이 되었어요. 그때 많은 도전과 실수를 통해 많은 것을 배웠고, 그 결과물을 통해 큰 자신감을 얻을 수 있었어요. 또한, 방송국 인턴십을 통해 실무 경험을 쌓으며 많은 것을 배울 수 있었어요."

이지해 작가: "주변의 지지와 다양한 활동이 큰 도움이 되었군요. 상훈 씨의 꿈을 지지해주는 사람들은 누구인가요?"

상훈: "가족과 친구들이 항상 응원해주셨어요. 특히, 대학의 교수님과 방송국의 선배들이 많은 도움을 주셨어요. 교수님은 제게 다양한 제작 기법을 가르쳐주셨고, 선배들은 함께 활동하며 많은 조언을 해주셨어요."

이지해 작가: "주변의 지지와 응원이 큰 힘이 되었군요. 그렇다면, 상훈 씨가 꿈을 실현하기 위해 현재 실천하고 있는 구체적인 행동들이 무엇인가요?"

상훈: "매일 방송 관련 서적을 읽고, 다양한 프로그램을 분석하며 기획 능력을 키우고 있어요. 또한, 학교 방송국에서 다양한 프로그램을 제작하며 경험을 쌓고, 방송국 인턴십을 통해 실무 경험을 쌓고 있습니다. 개인적으로는 독립 다큐멘터리를 계속 제작하며 제작 능력을 키우고 있어요."

이지해 작가: "정말 꾸준히 노력하고 있군요. 방송 PD가 되기 위해 어떤 조언을 해주고 싶나요?"

상훈: "자신의 프로그램에 대한 열정을 잃지 않고, 끊임없이 새로운 아이디어를 시도하는 것이 중요하다고 생각해요. 실패하더라도 포기하지 않고 계속 노력하는 자세가 필요해요. 또한, 다양한 프로그램을 경험하며 자신의 스타일을 찾는 것이 중요해요."

이지해 작가: "상훈 씨, 훌륭한 조언이에요. 저도 몇 가지 조언을 덧붙이고 싶어요. 먼저, 꾸준히 학습하고 연습하는 것은 정말 중요해요. 매일 일정한 시간에 프로그램 기획과 제작을 연습하고, 목표를 세우는 것이 필요하죠. 예를 들어, 이번 학기에는 특정 제작 기법을 완벽하게 익히겠다는 목표를 세우면 도움이 될 거예요."

"또한, 다양한 프로그램 제작과 워크숍에 참여하며 자신의 경험을 쌓는 것도 중요해요. 그렇게 하면 새로운 영감을 얻을 수 있고, 자신만의 제작 스타일을 찾는 데 도움이 될 거예요."

"그리고 다른 PD들과의 협업을 통해 다양한 시각을 배우는 것도 필요해요. 다양한 사람들과의 협업을 통해 더 넓은 시야를 가지게 되고, 자신의 프로그램에 새로운 아이디어를 적용할 수 있어요. 이러한 모든 노력들이 모여서 꿈을 이루는 데 큰 도움이 될 거예요."

상훈: "정말 감사합니다, 작가님. 말씀해주신 조언을 꼭 실천해 볼게요. 더 열심히 노력해서 훌륭한 방송 PD가 되겠습니다."

이지해 작가: "마지막으로, 상훈 씨에게 힘이 되고 영감을 주는 인용구를 하나 소개해줄래요?"

상훈: "'방송은 세상을 연결하는 창이다.' - 익명. 이 말을 항상 마음에 새기고 있어요."

이지해 작가: "정말 멋진 말이네요. 상훈 씨의 꿈을 응원합니다. 항상 긍정적인 마음가짐을 잊지 말고, 꾸준히 노력하세요!"

## 영화배우를 꿈꾸는 직장인(준호)

이지해 작가: "안녕하세요, 준호 씨. 영화배우가 되겠다는 꿈을 가지게 된 특별한 계기가 있나요?"

준호: "안녕하세요, 작가님. 어렸을 때부터 영화를 보는 것을 좋아했어요. 영화 속 배우들의 연기를 보면서 나도 저렇게 사람들에게 감동을 줄 수 있는 배우가 되고 싶다는 생각을 했어요. 그래서 대학 때 연극 동아리에 가입해 연기를 시작하게 되었고, 졸업 후에도 계속 연기 수업을 들으며 꿈을 키워왔어요."

이지해 작가: "연극 동아리 활동이 큰 계기가 되었군요. 그 후로 영화배우가 되기 위해 어떻게 준비해왔나요?"

준호: "퇴근 후와 주말에는 연기 수업을 듣고, 다양한 연극과 단편 영화에 출연하며 연기 경험을 쌓고 있어요. 또한, 다양한 오디션에 도전하며 실력을 검증받고, 연기 워크숍과 세미나에 참여해 많은 것을 배우고 있습니다. 개인적으로는 연기 스튜디오에서 정기적으로 연습을 하고 있어요."

이지해 작가: "준호 씨, 많은 사람들이 꿈을 찾지 못해서 고민하는데, 어떻게 영화배우라는 꿈을 확신하게 되었나요?"

준호: "처음에는 단순히 영화를 좋아해서 시작했어요. 그런데 연극 동아리에서 첫 주연을 맡아 연기를 하면서, 관객들의 반응을 직접 보며 연기의 매력을 느꼈어요. 특히, 첫 단편 영화 출연 경험이 큰 동기부여가 되었어요."

이지해 작가: "첫 단편 영화 출연 경험이 큰 동기부여가 되었군요. 그 과정에서 가장 도움이 되었던 경험은 무엇이었나요?"

준호: "첫 단편 영화 출연에서 다양한 감정을 표현하고, 감독과 함께 캐릭터를 만들어가는 경험이 가장 큰 도움이 되었어요. 그때 많은 도전과 실수를 통해 많은 것을 배웠고, 그 결과물을 통해 큰 자신감을 얻을 수 있었어요. 또한, 연기 워크숍과 세미나에 참여하며 많은 것을 배울 수 있었어요."

이지해 작가: "주변의 지지와 다양한 활동이 큰 도움이 되었군요. 준호 씨의 꿈을 지지해주는 사람들은 누구인가요?"

준호: "가족과 친구들이 항상 응원해주셨어요. 특히, 연기 수업에서 만난 선생님과 동료들이 많은 도움을 주셨어요. 선생님은 제게 다양한 연기 기법을 가르쳐주셨고, 동료들은 함께 연습하며 많은 조언을 해주셨어요."

이지해 작가: "주변의 지지와 응원이 큰 힘이 되었군요. 그렇다면, 준호 씨가 꿈을 실현하기 위해 현재 실천하고 있는 구체적인 행동들이 무엇인가요?"

준호: "퇴근 후와 주말마다 연기 수업을 듣고, 다양한 연극과 단편 영화에 출연하며 연기 경험을 쌓고 있어요. 또한, 다양한 오디션에 도전하며 실력을 검증받고, 연기 워크숍과 세미나에 꾸준히 참여하고 있습니다. 개인적으로는 연기 스튜디오에서 정기적으로 연습을 하고 있어요."

이지해 작가: "정말 꾸준히 노력하고 있군요. 영화배우가 되기 위해 어떤 조언을 해주고 싶나요?"

준호: "자신의 연기에 대한 열정을 잃지 않고, 끊임없이 새로운 감정을 표현하는 것이 중요하다고 생각해요. 실패하더라도 포기하지

않고 계속 노력하는 자세가 필요해요. 또한, 다양한 캐릭터를 경험하며 자신의 연기 스타일을 찾는 것이 중요해요."

이지해 작가: "준호 씨, 훌륭한 조언이에요. 저도 몇 가지 조언을 덧붙이고 싶어요. 먼저, 꾸준히 연습하고 학습하는 것은 정말 중요해요. 매일 일정한 시간에 연기 연습을 하고, 목표를 세우는 것이 필요하죠. 예를 들어, 이번 학기에는 특정 연기 기법을 완벽하게 익히겠다는 목표를 세우면 도움이 될 거예요."

"또한, 다양한 연극과 영화에 참여하며 자신의 경험을 쌓는 것도 중요해요. 그렇게 하면 새로운 영감을 얻을 수 있고, 자신만의 연기 스타일을 찾는 데 도움이 될 거예요."

"그리고 다른 배우들과의 협업을 통해 다양한 시각을 배우는 것도 필요해요. 다양한 사람들과의 협업을 통해 더 넓은 시야를 가지게 되고, 자신의 연기에 새로운 아이디어를 적용할 수 있어요. 이러한 모든 노력들이 모여서 꿈을 이루는 데 큰 도움이 될 거예요."

준호: "정말 감사합니다, 작가님. 말씀해주신 조언을 꼭 실천해 볼게요. 더 열심히 노력해서 훌륭한 영화배우가 되겠습니다."

이지해 작가: "마지막으로, 준호 씨에게 힘이 되고 영감을 주는 인용구를 하나 소개해줄래요?"

준호: "'연기는 삶을 살아내는 또 다른 방식이다.' - 알 파치노. 이 말을 항상 마음에 새기고 있어요."

이지해 작가: "정말 멋진 말이네요. 준호 씨의 꿈을 응원합니다. 항상 긍정적인 마음가짐을 잊지 말고, 꾸준히 노력하세요!"

## 유튜버를 꿈꾸는 중학생(민수)

이지해 작가: "안녕하세요, 민수 씨. 유튜버가 되겠다는 꿈을 가지게 된 특별한 계기가 있나요?"

민수: "안녕하세요, 작가님. 어렸을 때부터 유튜브를 보는 것을 좋아했어요. 특히, 게임과 리뷰 영상을 보면서 나도 이런 영상을 만들어보고 싶다는 생각이 들었어요. 그래서 중학교 때부터 유튜브 채널을 개설하고, 직접 영상을 제작하며 유튜버가 되겠다는 꿈을 가지게 되었어요."

이지해 작가: "유튜브 영상이 큰 계기가 되었군요. 그 후로 유튜버가 되기 위해 어떻게 준비해왔나요?"

민수: "매일 다양한 유튜브 영상을 보며 인기 있는 채널의 특징을 분석하고, 직접 영상을 제작하며 실력을 키우고 있어요. 또한, 영상 편집 프로그램을 배우고, 학교에서 미디어 관련 수업을 들으며 많은 것을 배우고 있습니다. 친구들과 함께 콜라보 영상을 제작하며 협업 능력도 키우고 있어요."

이지해 작가: "민수 씨, 많은 사람들이 꿈을 찾지 못해서 고민하는데, 어떻게 유튜버라는 꿈을 확신하게 되었나요?"

민수: "처음에는 단순히 유튜브가 좋아서 시작했어요. 그런데 직접 영상을 제작하고, 그 영상을 통해 많은 사람들과 소통하면서 유튜버가 되어야겠다는 확신이 생겼어요. 특히, 첫 영상이 많은 조회수를 기록하고, 긍정적인 댓글을 받으면서 큰 동기부여가 되었어요."

이지해 작가: "첫 영상 제작 경험이 큰 동기부여가 되었군요. 그 과정에서 가장 도움이 되었던 경험은 무엇이었나요?"

민수: "첫 영상 제작에서 기획, 촬영, 편집 등 모든 과정을 직접 경험한 것이 가장 큰 도움이 되었어요. 그때 많은 도전과 실수를 통해 많은 것을 배웠고, 그 결과물을 통해 큰 자신감을 얻을 수 있었어요. 또한, 친구들과 함께 콜라보 영상을 제작하며 협업 능력을 키울 수 있었어요."

이지해 작가: "주변의 지지와 다양한 활동이 큰 도움이 되었군요. 민수 씨의 꿈을 지지해주는 사람들은 누구인가요?"

민수: "가족과 친구들이 항상 응원해주셨어요. 특히, 학교의 미디어 수업 선생님과 유튜버 동료들이 많은 도움을 주셨어요. 선생님은 제게 다양한 영상 제작 기법을 가르쳐주셨고, 동료들은 함께 콜라보 영상을 제작하며 많은 조언을 해주셨어요."

이지해 작가: "주변의 지지와 응원이 큰 힘이 되었군요. 그렇다면, 민수 씨가 꿈을 실현하기 위해 현재 실천하고 있는 구체적인 행동들이 무엇인가요?"

민수: "매일 다양한 유튜브 영상을 보며 인기 있는 채널의 특징을 분석하고, 직접 영상을 제작하며 실력을 키우고 있어요. 또한, 영상 편집 프로그램을 배우고, 학교에서 미디어 관련 수업을 들으며 많은 것을 배우고 있습니다. 친구들과 함께 콜라보 영상을 제작하며 협업 능력도 키우고 있어요."

이지해 작가: "정말 꾸준히 노력하고 있군요. 유튜버가 되기 위해 어떤 조언을 해주고 싶나요?"

민수: "자신의 콘텐츠에 대한 열정을 잃지 않고, 끊임없이 새로운 아이디어를 시도하는 것이 중요하다고 생각해요. 실패하더라도

포기하지 않고 계속 노력하는 자세가 필요해요. 또한, 다양한 콘텐츠를 제작하며 자신의 스타일을 찾는 것이 중요해요."

이지해 작가: "민수 씨, 훌륭한 조언이에요. 저도 몇 가지 조언을 덧붙이고 싶어요. 먼저, 꾸준히 콘텐츠를 제작하고 분석하는 것은 정말 중요해요. 매일 일정한 시간에 콘텐츠 제작을 연습하고, 목표를 세우는 것이 필요하죠. 예를 들어, 이번 학기에는 특정 콘텐츠 형식을 완벽하게 익히겠다는 목표를 세우면 도움이 될 거예요."

"또한, 다양한 콜라보와 프로젝트에 참여하며 자신의 경험을 쌓는 것도 중요해요. 그렇게 하면 새로운 영감을 얻을 수 있고, 자신만의 콘텐츠 스타일을 찾는 데 도움이 될 거예요."

"그리고 다른 유튜버들과의 협업을 통해 다양한 시각을 배우는 것도 필요해요. 다양한 사람들과의 협업을 통해 더 넓은 시야를 가지게 되고, 자신의 콘텐츠에 새로운 아이디어를 적용할 수 있어요. 이러한 모든 노력들이 모여서 꿈을 이루는 데 큰 도움이 될 거예요."

민수: "정말 감사합니다, 작가님. 말씀해주신 조언을 꼭 실천해 볼게요. 더 열심히 노력해서 훌륭한 유튜버가 되겠습니다."

이지해 작가: "마지막으로, 민수 씨에게 힘이 되고 영감을 주는 인용구를 하나 소개해줄래요?"

민수: "'콘텐츠는 왕이다.' - 빌 게이츠. 이 말을 항상 마음에 새기고 있어요."

이지해 작가: "정말 멋진 말이네요. 민수 씨의 꿈을 응원합니다. 항상 긍정적인 마음가짐을 잊지 말고, 꾸준히 노력하세요!"

제 16 장

# 새로운 분야의 꿈

다양한 새로운 분야에서 꿈을 꾸는 사람들의 이야기를 통해, 그들이 목표를 위해 꾸준히 노력하고 열정을 유지하며 성취해 나가는 과정을 살펴본다. 독자들은 이들의 여정을 통해 새로운 영감과 동기부여를 얻을 수 있다.

## 동물행동학자를 꿈꾸는 대학생(다영)

이지해 작가: "안녕하세요, 다영 씨. 동물행동학자가 되겠다는 꿈을 가지게 된 특별한 계기가 있나요?"

다영: "안녕하세요, 작가님. 어렸을 때부터 동물을 좋아했어요. 특히, 동물원에서 다양한 동물들을 관찰하면서 동물들이 왜 특정 행동을 하는지 궁금해졌어요. 고등학교 때 생물학 수업에서 동물행동학을 접하면서 동물행동학자가 되기로 결심했어요."

이지해 작가: "동물에 대한 호기심이 큰 계기가 되었군요. 그 후로 동물행동학자가 되기 위해 어떻게 준비해왔나요?"

다영: "대학에서 생물학과 동물행동학 관련 강의를 듣고, 다양한 연구 프로젝트에 참여하고 있어요. 또한, 방학 때는 동물 보호센터와 연구소에서 인턴십을 통해 실무 경험을 쌓고, 다양한 학회와 세미나에 참여하며 최신 연구 동향을 파악하고 있습니다."

이지해 작가: "다영 씨, 많은 사람들이 꿈을 찾지 못해서 고민하는데, 어떻게 동물행동학자라는 꿈을 확신하게 되었나요?"

다영: "처음에는 단순히 동물이 좋아서 시작했어요. 그런데 대학에서 다양한 동물 연구 프로젝트를 진행하면서, 동물행동을 연구하는 것이 너무 매력적이었어요. 특히, 첫 연구 프로젝트에서 얻은 경험이 큰 동기부여가 되었어요."

이지해 작가: "첫 연구 프로젝트 경험이 큰 동기부여가 되었군요. 그 과정에서 가장 도움이 되었던 경험은 무엇이었나요?"

다영: "첫 연구 프로젝트에서 동물의 행동을 관찰하고 분석한 경험이 가장 큰 도움이 되었어요. 그때 많은 도전과 실수를 통해 많은 것을 배웠고, 그 결과물을 통해 큰 자신감을 얻을 수 있었어요. 또한, 동물 보호센터와 연구소에서의 인턴십을 통해 다양한 실무 경험을 쌓을 수 있었어요."

이지해 작가: "주변의 지지와 다양한 활동이 큰 도움이 되었군요. 다영 씨의 꿈을 지지해주는 사람들은 누구인가요?"

다영: "가족과 친구들이 항상 응원해주셨어요. 특히, 대학의 교수님과 연구 프로젝트 팀원들이 많은 도움을 주셨어요. 교수님은 제게 다양한 연구 방법을 가르쳐주셨고, 팀원들은 함께 연구하며 많은 조언을 해주셨어요."

이지해 작가: "주변의 지지와 응원이 큰 힘이 되었군요. 그렇다면, 다영 씨가 꿈을 실현하기 위해 현재 실천하고 있는 구체적인 행동들이 무엇인가요?"

다영: "매일 동물행동학 관련 서적을 읽고, 연구 프로젝트에 참여하며 실무 경험을 쌓고 있어요. 또한, 동물 보호센터와 연구소에서 인턴십을 통해 다양한 동물과의 교류를 늘리고, 학회와 세미나에 꾸준히 참여하며 최신 연구 동향을 파악하고 있습니다."

이지해 작가: "정말 꾸준히 노력하고 있군요. 동물행동학자가 되기 위해 어떤 조언을 해주고 싶나요?"

다영: "자신의 연구에 대한 열정을 잃지 않고, 끊임없이 새로운 연구 방법을 시도하는 것이 중요하다고 생각해요. 실패하더라도

포기하지 않고 계속 노력하는 자세가 필요해요. 또한, 다양한 동물행동을 경험하며 자신의 연구 스타일을 찾는 것이 중요해요."

이지해 작가: "다영 씨, 훌륭한 조언이에요. 저도 몇 가지 조언을 덧붙이고 싶어요. 먼저, 꾸준히 연구하고 학습하는 것은 정말 중요해요. 매일 일정한 시간에 동물행동학 서적을 읽고, 연구 프로젝트에 참여하는 것이 필요하죠. 예를 들어, 이번 학기에는 특정 동물의 행동을 집중적으로 연구하겠다는 목표를 세우면 도움이 될 거예요."

"또한, 다양한 연구 프로젝트와 인턴십에 참여하며 자신의 경험을 쌓는 것도 중요해요. 그렇게 하면 새로운 영감을 얻을 수 있고, 자신만의 연구 스타일을 찾는 데 도움이 될 거예요."

"그리고 다른 연구자들과의 협업을 통해 다양한 시각을 배우는 것도 필요해요. 다양한 사람들과의 협업을 통해 더 넓은 시야를 가지게 되고, 자신의 연구에 새로운 아이디어를 적용할 수 있어요. 이러한 모든 노력들이 모여서 꿈을 이루는 데 큰 도움이 될 거예요."

다영: "정말 감사합니다, 작가님. 말씀해주신 조언을 꼭 실천해 볼게요. 더 열심히 노력해서 훌륭한 동물행동학자가 되겠습니다."

이지해 작가: "마지막으로, 다영 씨에게 힘이 되고 영감을 주는 인용구를 하나 소개해줄래요?"

다영: "'동물의 행동은 그들이 사는 환경을 반영한다.' - 제인 구달. 이 말을 항상 마음에 새기고 있어요."

이지해 작가: "정말 멋진 말이네요. 다영 씨의 꿈을 응원합니다. 항상 긍정적인 마음가짐을 잊지 말고, 꾸준히 노력하세요!"

## 커피 바리스타를 꿈꾸는 고등학생(민기)

이지해 작가: "안녕하세요, 민기 씨. 커피 바리스타가 되겠다는 꿈을 가지게 된 특별한 계기가 있나요?"

민기: "안녕하세요, 작가님. 고등학교 때 친구들과 함께 카페에서 시간을 보내는 것을 좋아했어요. 다양한 커피를 마시면서 커피의 맛과 향에 대해 관심을 가지게 되었고, 바리스타가 커피를 만드는 과정을 보면서 매력을 느꼈어요. 그래서 커피 바리스타가 되기로 결심했어요."

이지해 작가: "카페에서의 경험이 큰 계기가 되었군요. 그 후로 커피 바리스타가 되기 위해 어떻게 준비해왔나요?"

민기: "학교에서 방과 후에는 커피 관련 서적을 읽고, 주말에는 지역 커피숍에서 아르바이트를 하며 바리스타로서의 경험을 쌓고 있어요. 또한, 다양한 바리스타 워크숍에 참여하며 커피 추출 기술과 다양한 레시피를 배우고 있습니다."

이지해 작가: "민기 씨, 많은 사람들이 꿈을 찾지 못해서 고민하는데, 어떻게 커피 바리스타라는 꿈을 확신하게 되었나요?"

민기: "처음에는 단순히 커피가 좋아서 시작했어요. 그런데 지역 커피숍에서 아르바이트를 하면서, 제가 만든 커피를 손님들이 좋아하는 모습을 보며 바리스타가 되어야겠다는 확신이 생겼어요. 특히, 첫 바리스타 워크숍에서 많은 것을 배우며 큰 동기부여가 되었어요."

이지해 작가: "첫 바리스타 워크숍 경험이 큰 동기부여가 되었군요. 그 과정에서 가장 도움이 되었던 경험은 무엇이었나요?"

민기: "첫 바리스타 워크숍에서 다양한 커피 추출 기법을 배우고, 직접 커피를 만들어본 경험이 가장 큰 도움이 되었어요. 그때 많은 도전과 실수를 통해 많은 것을 배웠고, 그 결과물을 통해 큰 자신감을 얻을 수 있었어요. 또한, 커피숍 아르바이트를 통해 실무 경험을 쌓으며 많은 것을 배울 수 있었어요."

이지해 작가: "주변의 지지와 다양한 활동이 큰 도움이 되었군요. 민기 씨의 꿈을 지지해주는 사람들은 누구인가요?"

민기: "가족과 친구들이 항상 응원해주셨어요. 특히, 커피숍의 선배 바리스타들과 바리스타 워크숍에서 만난 동료들이 많은 도움을 주셨어요. 선배 바리스타들은 제게 다양한 커피 추출 기법을 가르쳐주셨고, 동료들은 함께 연습하며 많은 조언을 해주셨어요."

이지해 작가: "주변의 지지와 응원이 큰 힘이 되었군요. 그렇다면, 민기 씨가 꿈을 실현하기 위해 현재 실천하고 있는 구체적인 행동들이 무엇인가요?"

민기: "학교에서 방과 후에는 커피 관련 서적을 읽고, 주말에는 지역 커피숍에서 아르바이트를 하며 바리스타로서의 경험을 쌓고 있어요. 또한, 다양한 바리스타 워크숍에 참여하며 커피 추출 기술과 다양한 레시피를 배우고 있습니다."

이지해 작가: "정말 꾸준히 노력하고 있군요. 커피 바리스타가 되기 위해 어떤 조언을 해주고 싶나요?"

민기: "자신의 커피에 대한 열정을 잃지 않고, 끊임없이 새로운 추출 기법을 시도하는 것이 중요하다고 생각해요. 실패하더라도

포기하지 않고 계속 노력하는 자세가 필요해요. 또한, 다양한 커피를 경험하며 자신의 스타일을 찾는 것이 중요해요."

이지해 작가: "민기 씨, 훌륭한 조언이에요. 저도 몇 가지 조언을 덧붙이고 싶어요. 먼저, 꾸준히 커피를 학습하고 연습하는 것은 정말 중요해요. 매일 일정한 시간에 커피 추출을 연습하고, 목표를 세우는 것이 필요하죠. 예를 들어, 이번 학기에는 특정 커피 추출 기법을 완벽하게 익히겠다는 목표를 세우면 도움이 될 거예요."

"또한, 다양한 커피숍과 워크숍에 참여하며 자신의 경험을 쌓는 것도 중요해요. 그렇게 하면 새로운 영감을 얻을 수 있고, 자신만의 커피 스타일을 찾는 데 도움이 될 거예요."

"그리고 다른 바리스타들과의 협업을 통해 다양한 시각을 배우는 것도 필요해요. 다양한 사람들과의 협업을 통해 더 넓은 시야를 가지게 되고, 자신의 커피에 새로운 아이디어를 적용할 수 있어요. 이러한 모든 노력들이 모여서 꿈을 이루는 데 큰 도움이 될 거예요."

민기: "정말 감사합니다, 작가님. 말씀해주신 조언을 꼭 실천해 볼게요. 더 열심히 노력해서 훌륭한 커피 바리스타가 되겠습니다."

이지해 작가: "마지막으로, 민기 씨에게 힘이 되고 영감을 주는 인용구를 하나 소개해줄래요?"

민기: "'커피는 단순한 음료가 아니라, 사람과 사람을 잇는 다리이다.' - 익명. 이 말을 항상 마음에 새기고 있어요."

이지해 작가: "정말 멋진 말이네요. 민기 씨의 꿈을 응원합니다. 항상 긍정적인 마음가짐을 잊지 말고, 꾸준히 노력하세요!"

## 제빵사를 꿈꾸는 요리학도(하은)

이지해 작가: "안녕하세요, 하은 씨. 제빵사가 되겠다는 꿈을 가지게 된 특별한 계기가 있나요?"

하은: "안녕하세요, 작가님. 어렸을 때부터 빵 굽는 것을 좋아했어요. 가족과 함께 빵을 구우면서 행복한 시간을 보냈고, 빵을 통해 사람들에게 행복을 주고 싶다는 생각이 들었어요. 그래서 요리학교에 진학해 제빵사가 되기로 결심했어요."

이지해 작가: "가족과 함께한 시간이 큰 계기가 되었군요. 그 후로 제빵사가 되기 위해 어떻게 준비해왔나요?"

하은: "요리학교에서 제빵 관련 강의를 듣고, 다양한 실습을 통해 기술을 연마하고 있어요. 또한, 방학 때는 베이커리에서 인턴십을 통해 실무 경험을 쌓고, 다양한 제빵 관련 세미나와 워크숍에 참여하며 많은 것을 배우고 있습니다. 개인적으로는 새로운 레시피를 개발하며 창의력을 키우고 있어요."

이지해 작가: "하은 씨, 많은 사람들이 꿈을 찾지 못해서 고민하는데, 어떻게 제빵사라는 꿈을 확신하게 되었나요?"

하은: "처음에는 단순히 빵 굽는 것이 좋아서 시작했어요. 그런데 요리학교에서 다양한 제빵 실습을 하면서, 제빵사가 되어 많은 사람들에게 행복을 주고 싶다는 확신이 생겼어요. 특히, 첫 인턴십에서 얻은 경험이 큰 동기부여가 되었어요."

이지해 작가: "첫 인턴십 경험이 큰 동기부여가 되었군요. 그 과정에서 가장 도움이 되었던 경험은 무엇이었나요?"

하은: "첫 인턴십에서 다양한 빵을 굽고, 고객들의 반응을 직접 본 경험이 가장 큰 도움이 되었어요. 그때 많은 도전과 실수를 통해 많은 것을 배웠고, 그 결과물을 통해 큰 자신감을 얻을 수 있었어요. 또한, 제빵 세미나와 워크숍에 참여하며 많은 것을 배울 수 있었어요."

이지해 작가: "주변의 지지와 다양한 활동이 큰 도움이 되었군요. 하은 씨의 꿈을 지지해주는 사람들은 누구인가요?"

하은: "가족과 친구들이 항상 응원해주셨어요. 특히, 요리학교의 교수님과 베이커리의 선배 제빵사들이 많은 도움을 주셨어요. 교수님은 제게 다양한 제빵 기법을 가르쳐주셨고, 선배들은 함께 일하며 많은 조언을 해주셨어요."

이지해 작가: "주변의 지지와 응원이 큰 힘이 되었군요. 그렇다면, 하은 씨가 꿈을 실현하기 위해 현재 실천하고 있는 구체적인 행동들이 무엇인가요?"

하은: "요리학교에서 다양한 제빵 강의를 듣고, 실습을 통해 기술을 연마하고 있어요. 또한, 방학 때는 베이커리에서 인턴십을 통해 실무 경험을 쌓고, 다양한 제빵 관련 세미나와 워크숍에 꾸준히 참여하고 있습니다. 개인적으로는 새로운 레시피를 개발하며 창의력을 키우고 있어요."

이지해 작가: "정말 꾸준히 노력하고 있군요. 제빵사가 되기 위해 어떤 조언을 해주고 싶나요?"

하은: "자신의 제빵에 대한 열정을 잃지 않고, 끊임없이 새로운 레시피를 개발하는 것이 중요하다고 생각해요. 실패하더라도

포기하지 않고 계속 노력하는 자세가 필요해요. 또한, 다양한 제빵을 경험하며 자신의 스타일을 찾는 것이 중요해요."

이지해 작가: "하은 씨, 훌륭한 조언이에요. 저도 몇 가지 조언을 덧붙이고 싶어요. 먼저, 꾸준히 제빵을 학습하고 연습하는 것은 정말 중요해요. 매일 일정한 시간에 제빵 연습을 하고, 목표를 세우는 것이 필요하죠. 예를 들어, 이번 학기에는 특정 제빵 기법을 완벽하게 익히겠다는 목표를 세우면 도움이 될 거예요."

"또한, 다양한 제빵 프로젝트와 워크숍에 참여하며 자신의 경험을 쌓는 것도 중요해요. 그렇게 하면 새로운 영감을 얻을 수 있고, 자신만의 제빵 스타일을 찾는 데 도움이 될 거예요."

"그리고 다른 제빵사들과의 협업을 통해 다양한 시각을 배우는 것도 필요해요. 다양한 사람들과의 협업을 통해 더 넓은 시야를 가지게 되고, 자신의 제빵에 새로운 아이디어를 적용할 수 있어요. 이러한 모든 노력들이 모여서 꿈을 이루는 데 큰 도움이 될 거예요."

하은: "정말 감사합니다, 작가님. 말씀해주신 조언을 꼭 실천해 볼게요. 더 열심히 노력해서 훌륭한 제빵사가 되겠습니다."

이지해 작가: "마지막으로, 하은 씨에게 힘이 되고 영감을 주는 인용구를 하나 소개해줄래요?"

하은: "'빵은 사람들의 마음을 따뜻하게 한다.' - 익명. 이 말을 항상 마음에 새기고 있어요."

이지해 작가: "정말 멋진 말이네요. 하은 씨의 꿈을 응원합니다. 항상 긍정적인 마음가짐을 잊지 말고, 꾸준히 노력하세요!"

## 크리에이티브 디렉터를 꿈꾸는 대학생(서윤)

이지해 작가: "안녕하세요, 서윤 씨. 크리에이티브 디렉터가 되겠다는 꿈을 가지게 된 특별한 계기가 있나요?"

서윤: "안녕하세요, 작가님. 어렸을 때부터 미술과 디자인을 좋아했어요. 특히, 광고와 브랜드 디자인에 관심이 많았어요. 고등학교 때 예술과 디자인 관련 동아리 활동을 하면서 크리에이티브 디렉터라는 직업에 대해 알게 되었고, 매력적으로 느꼈어요. 그래서 대학에서 디자인을 전공하게 되었어요."

이지해 작가: "동아리 활동이 큰 계기가 되었군요. 그 후로 크리에이티브 디렉터가 되기 위해 어떻게 준비해왔나요?"

서윤: "대학에서 디자인을 전공하며 다양한 디자인 프로젝트를 진행하고, 포트폴리오를 만들어가고 있어요. 또한, 방학 때는 광고 회사에서 인턴십을 통해 실무 경험을 쌓고, 다양한 디자인 세미나와 워크숍에 참여하며 많은 것을 배우고 있습니다. 개인적으로는 다양한 브랜드의 디자인을 분석하며 창의력을 키우고 있어요."

이지해 작가: "서윤 씨, 많은 사람들이 꿈을 찾지 못해서 고민하는데, 어떻게 크리에이티브 디렉터라는 꿈을 확신하게 되었나요?"

서윤: "처음에는 단순히 디자인이 좋아서 시작했어요. 그런데 고등학교 때 동아리에서 진행한 첫 디자인 프로젝트를 통해 많은 사람들에게 영감을 줄 수 있다는 것을 느꼈어요. 특히, 대학에서 첫 광고 프로젝트를 성공적으로 마치고, 교수님과 동료들의 긍정적인 평가를 받으며 확신이 생겼어요."

이지해 작가: "첫 광고 프로젝트 경험이 큰 동기부여가 되었군요. 그 과정에서 가장 도움이 되었던 경험은 무엇이었나요?"

서윤: "첫 광고 프로젝트에서 다양한 디자인 요소를 조합해 하나의 캠페인을 완성한 경험이 가장 큰 도움이 되었어요. 그때 많은 도전과 실수를 통해 많은 것을 배웠고, 그 결과물을 통해 큰 자신감을 얻을 수 있었어요. 또한, 광고 회사 인턴십을 통해 실무 경험을 쌓으며 많은 것을 배울 수 있었어요."

이지해 작가: "주변의 지지와 다양한 활동이 큰 도움이 되었군요. 서윤 씨의 꿈을 지지해주는 사람들은 누구인가요?"

서윤: "가족과 친구들이 항상 응원해주셨어요. 특히, 대학의 교수님과 광고 회사의 선배들이 많은 도움을 주셨어요. 교수님은 제게 다양한 디자인 기법을 가르쳐주셨고, 선배들은 함께 일하며 많은 조언을 해주셨어요."

이지해 작가: "주변의 지지와 응원이 큰 힘이 되었군요. 그렇다면, 서윤 씨가 꿈을 실현하기 위해 현재 실천하고 있는 구체적인 행동들이 무엇인가요?"

서윤: "대학에서 다양한 디자인 프로젝트를 진행하고, 포트폴리오를 만들어가고 있어요. 또한, 방학 때는 광고 회사에서 인턴십을 통해 실무 경험을 쌓고, 다양한 디자인 세미나와 워크숍에 꾸준히 참여하고 있습니다. 개인적으로는 다양한 브랜드의 디자인을 분석하며 창의력을 키우고 있어요."

이지해 작가: "정말 꾸준히 노력하고 있군요. 크리에이티브 디렉터가 되기 위해 어떤 조언을 해주고 싶나요?"

서윤: "자신의 디자인에 대한 열정을 잃지 않고, 끊임없이 새로운 아이디어를 시도하는 것이 중요하다고 생각해요. 실패하더라도

포기하지 않고 계속 노력하는 자세가 필요해요. 또한, 다양한 디자인을 경험하며 자신의 스타일을 찾는 것이 중요해요."

이지해 작가: "서윤 씨, 훌륭한 조언이에요. 저도 몇 가지 조언을 덧붙이고 싶어요. 먼저, 꾸준히 디자인을 학습하고 연습하는 것은 정말 중요해요. 매일 일정한 시간에 디자인 연습을 하고, 목표를 세우는 것이 필요하죠. 예를 들어, 이번 학기에는 특정 디자인 기법을 완벽하게 익히겠다는 목표를 세우면 도움이 될 거예요."

"또한, 다양한 디자인 프로젝트와 워크숍에 참여하며 자신의 경험을 쌓는 것도 중요해요. 그렇게 하면 새로운 영감을 얻을 수 있고, 자신만의 디자인 스타일을 찾는 데 도움이 될 거예요."

"그리고 다른 디자이너들과의 협업을 통해 다양한 시각을 배우는 것도 필요해요. 다양한 사람들과의 협업을 통해 더 넓은 시야를 가지게 되고, 자신의 디자인에 새로운 아이디어를 적용할 수 있어요. 이러한 모든 노력들이 모여서 꿈을 이루는 데 큰 도움이 될 거예요."

서윤: "정말 감사합니다, 작가님. 말씀해주신 조언을 꼭 실천해 볼게요. 더 열심히 노력해서 훌륭한 크리에이티브 디렉터가 되겠습니다."

이지해 작가: "마지막으로, 서윤 씨에게 힘이 되고 영감을 주는 인용구를 하나 소개해줄래요?"

서윤: "'디자인은 단순한 예술이 아니라, 문제 해결의 도구다.' - 필립 스타크. 이 말을 항상 마음에 새기고 있어요."

이지해 작가: "정말 멋진 말이네요. 서윤 씨의 꿈을 응원합니다. 항상 긍정적인 마음가짐을 잊지 말고, 꾸준히 노력하세요!"

## 자동차 디자이너를 꿈꾸는 직장인(지혁)

이지해 작가: "안녕하세요, 지혁 씨. 자동차 디자이너가 되겠다는 꿈을 가지게 된 특별한 계기가 있나요?"

지혁: "안녕하세요, 작가님. 어렸을 때부터 자동차에 관심이 많았어요. 특히, 다양한 자동차 디자인을 보면서 나만의 자동차를 디자인하고 싶다는 생각을 했어요. 그래서 대학에서 산업 디자인을 전공하고, 졸업 후 자동차 관련 회사에서 일하면서 자동차 디자이너가 되기로 결심했어요."

이지해 작가: "자동차에 대한 관심이 큰 계기가 되었군요. 그 후로 자동차 디자이너가 되기 위해 어떻게 준비해왔나요?"

지혁: "대학에서 산업 디자인을 전공하며 다양한 디자인 프로젝트를 진행하고, 포트폴리오를 만들어가고 있어요. 또한, 회사에서는 자동차 디자인 관련 프로젝트에 참여하며 실무 경험을 쌓고, 다양한 디자인 세미나와 워크숍에 참여하며 많은 것을 배우고 있습니다. 개인적으로는 다양한 자동차 디자인을 분석하며 창의력을 키우고 있어요."

이지해 작가: "지혁 씨, 많은 사람들이 꿈을 찾지 못해서 고민하는데, 어떻게 자동차 디자이너라는 꿈을 확신하게 되었나요?"

지혁: "처음에는 단순히 자동차가 좋아서 시작했어요. 그런데 대학에서 다양한 디자인 프로젝트를 진행하면서, 자동차 디자인이 사람들에게 큰 영향을 미친다는 것을 느꼈어요. 특히, 회사에서 첫 자동차 디자인 프로젝트를 성공적으로 마치고, 팀원들과 상사들의 긍정적인 평가를 받으며 확신이 생겼어요."

이지해 작가: "첫 자동차 디자인 프로젝트 경험이 큰 동기부여가 되었군요. 그 과정에서 가장 도움이 되었던 경험은 무엇이었나요?"

지혁: "첫 자동차 디자인 프로젝트에서 다양한 디자인 요소를 조합해 하나의 자동차를 완성한 경험이 가장 큰 도움이 되었어요. 그때 많은 도전과 실수를 통해 많은 것을 배웠고, 그 결과물을 통해 큰 자신감을 얻을 수 있었어요. 또한, 디자인 세미나와 워크숍에 참여하며 많은 것을 배울 수 있었어요."

이지해 작가: "주변의 지지와 다양한 활동이 큰 도움이 되었군요. 지혁 씨의 꿈을 지지해주는 사람들은 누구인가요?"

지혁: "가족과 친구들이 항상 응원해주셨어요. 특히, 대학의 교수님과 회사의 선배들이 많은 도움을 주셨어요. 교수님은 제게 다양한 디자인 기법을 가르쳐주셨고, 선배들은 함께 일하며 많은 조언을 해주셨어요."

이지해 작가: "주변의 지지와 응원이 큰 힘이 되었군요. 그렇다면, 지혁 씨가 꿈을 실현하기 위해 현재 실천하고 있는 구체적인 행동들이 무엇인가요?"

지혁: "대학에서 다양한 디자인 프로젝트를 진행하고, 포트폴리오를 만들어가고 있어요. 또한, 회사에서는 자동차 디자인 관련 프로젝트에 참여하며 실무 경험을 쌓고, 다양한 디자인 세미나와 워크숍에 꾸준히 참여하고 있습니다. 개인적으로는 다양한 자동차 디자인을 분석하며 창의력을 키우고 있어요."

이지해 작가: "정말 꾸준히 노력하고 있군요. 자동차 디자이너가 되기 위해 어떤 조언을 해주고 싶나요?"

지혁: "자신의 디자인에 대한 열정을 잃지 않고, 끊임없이 새로운 아이디어를 시도하는 것이 중요하다고 생각해요. 실패하더라도 포기하지 않고 계속 노력하는 자세가 필요해요. 또한, 다양한 디자인을 경험하며 자신의 스타일을 찾는 것이 중요해요."

이지해 작가: "지혁 씨, 훌륭한 조언이에요. 저도 몇 가지 조언을 덧붙이고 싶어요. 먼저, 꾸준히 디자인을 학습하고 연습하는 것은 정말 중요해요. 매일 일정한 시간에 디자인 연습을 하고, 목표를 세우는 것이 필요하죠. 예를 들어, 이번 학기에는 특정 자동차 디자인 기법을 완벽하게 익히겠다는 목표를 세우면 도움이 될 거예요."

"또한, 다양한 디자인 프로젝트와 워크숍에 참여하며 자신의 경험을 쌓는 것도 중요해요. 그렇게 하면 새로운 영감을 얻을 수 있고, 자신만의 디자인 스타일을 찾는 데 도움이 될 거예요."

"그리고 다른 디자이너들과의 협업을 통해 다양한 시각을 배우는 것도 필요해요. 다양한 사람들과의 협업을 통해 더 넓은 시야를 가지게 되고, 자신의 디자인에 새로운 아이디어를 적용할 수 있어요. 이러한 모든 노력들이 모여서 꿈을 이루는 데 큰 도움이 될 거예요."

지혁: "정말 감사합니다, 작가님. 말씀해주신 조언을 꼭 실천해 볼게요. 더 열심히 노력해서 훌륭한 자동차 디자이너가 되겠습니다."

이지해 작가: "마지막으로, 지혁 씨에게 힘이 되고 영감을 주는 인용구를 하나 소개해줄래요?"

지혁: "'자동차는 단순한 이동 수단이 아니라, 예술 작품이다.' - 엔조 페라리. 이 말을 항상 마음에 새기고 있어요."

이지해 작가: "정말 멋진 말이네요. 지혁 씨의 꿈을 응원합니다. 항상 긍정적인 마음가짐을 잊지 말고, 꾸준히 노력하세요!"

결론

# 희망의 메시지로 마무리

이 책은 50명의 다양한 꿈을 가진 사람들의 이야기를 공유하며, 그들의 여정을 통해 배운 교훈을 요약하고, 독자들이 실천할 수 있는 작은 행동들을 제안합니다.

## 책의 주요 내용 요약

이지해 작가: "우리는 음악가, 화가, 영화감독, 우주비행사, 인공지능 연구자, 올림픽 금메달리스트 등 다양한 꿈을 가진 사람들의 이야기를 들었습니다. 각기 다른 배경과 계기를 통해 꿈을 가지게 된 그들은 모두 자신만의 방식으로 꿈을 향해 나아가고 있었습니다. 이들의 이야기를 통해 우리는 다음과 같은 중요한 교훈을 얻었습니다."

열정과 호기심의 중요성: 꿈을 찾는 과정에서 무엇보다 중요한 것은 열정과 호기심입니다. 지훈이 음악에 빠져들고, 지후가 그래픽 디자인에 몰두하게 된 것처럼, 자신이 좋아하는 일을 찾고 그 일에 열정을 쏟는 것이 첫걸음입니다.

꾸준한 노력과 인내: 꿈을 이루기 위해서는 꾸준한 노력과 인내가 필요합니다. 소영이 화가가 되기 위해 매일 그림을 그리고, 민기가 바리스타가 되기 위해 매일 커피를 연습하는 것처럼, 작은 노력들이 모여 큰 성과를 이룹니다.

주변의 지지와 협력: 꿈을 이루기 위해서는 주변의 지지와 협력이 필요합니다. 서윤이 교수님과 선배들의 도움을 받아 크리에이티브 디렉터가 되기 위한 길을 걷고, 정민이 친구들과 함께 사회운동을 하며 성장하는 것처럼, 함께하는 이들의 힘이 큰 도움이 됩니다.

실패를 두려워하지 않는 도전 정신: 실패는 성공의 과정 중 하나입니다. 준호가 영화배우가 되기 위해 많은 오디션에서 떨어졌지만 포기하지 않고 계속 도전한 것처럼, 실패를 두려워하지 말고 계속 도전하는 자세가 중요합니다.

긍정적인 마음가짐: 긍정적인 마음가짐은 꿈을 이루는 데 큰 힘이 됩니다. 해준이 외교관이 되기 위해 국제 문제를 긍정적으로 바라보고, 은지가 우주비행사가 되기 위해 항상 희망을 잃지 않는 것처럼, 긍정적인 태도는 우리의 행동을 이끌어줍니다.

## 독자들에게 전하는 최종 응원 메시지

이지해 작가: "독자 여러분, 이 책을 통해 다양한 사람들의 꿈과 그 여정을 함께 했습니다. 그들의 이야기는 단지 그들만의 이야기가 아닙니다. 여러분의 이야기이기도 합니다. 꿈을 찾고, 그 꿈을 이루기 위해 노력하는 모든 과정은 여러분이 직접 만들어가는 것입니다. 포기하지 말고, 두려워하지 말고, 꾸준히 나아가세요. 여러분의 꿈은 충분히 가치가 있습니다."

## 실천할 수 있는 작은 행동들 제안

이지해 작가: "마지막으로, 여러분의 꿈을 향해 전진하는 데 도움이 될 수 있는 작은 행동들을 제안합니다. 이제 여러분이 해야 할 일은 이 작은 행동들을 일상에 적용하는 것입니다. 작은 변화들이 모여 큰 변화를 만듭니다. 여러분의 꿈을 향한 여행에 힘이 되길 바랍니다. 항상 긍정적인 마음가짐을 가지고, 꾸준히 노력하며, 자신의 꿈을 향해 전진하세요. 여러분의 꿈을 응원합니다!"

## 부록: 매일 작은 목표 설정하기

하루에 한 가지 작은 목표를 설정하고 달성해보세요. 작은 목표들이 모여 큰 성과를 이룹니다.

예: 하루에 10페이지 책 읽기, 30분 운동하기, 15분 명상하기.

**성취 기록하기:** 성취한 일을 기록하고 스스로를 칭찬하세요. 이는 자신감을 키우는 데 큰 도움이 됩니다.

**예: 성취 일기 쓰기, 성취 노트 작성하기.**

**주변의 지지 구하기:** 가족, 친구, 선생님 등 주변 사람들의 지지를 구하세요. 그들의 응원과 조언은 큰 힘이 됩니다.

**예: 자신의 꿈을 주변 사람들에게 이야기하고 응원받기.**

**실패를 두려워하지 않기:** 실패를 두려워하지 말고, 도전하는 자세를 유지하세요. 실패는 배움의 기회입니다.

**예: 실패 경험을 긍정적으로 받아들이고, 배운 점을 기록하기.**

**긍정적인 마인드 유지하기:** 긍정적인 마인드를 유지하세요. 긍정적인 생각은 긍정적인 행동을 이끌어냅니다.

**예: 매일 아침 긍정적인 인용구를 읽으며 하루를 시작하기, 감사 일기 쓰기.**

**자기 계발을 위한 시간 투자:** 매일 자기 계발을 위한 시간을 투자하세요. 새로운 것을 배우고 성장하는 것은 중요한 과정입니다.

**예: 온라인 강의 수강, 새로운 기술 배우기, 독서 시간 갖기.**

**건강한 생활 습관 유지하기:** 건강한 생활 습관을 유지하세요. 건강은 꿈을 이루는 데 중요한 요소입니다.

**예: 규칙적인 운동, 균형 잡힌 식사, 충분한 수면.**

**사회와의 연결 강화하기:** 사회와의 연결을 강화하세요. 다양한 사람들과의 교류는 새로운 기회를 열어줍니다.

**예: 동호회나 커뮤니티에 참여하기, 네트워킹 이벤트 참석하기.**

**꾸준한 자기 성찰:** 자신을 돌아보고 성찰하는 시간을 가지세요. 이를 통해 성장할 수 있습니다.

**예: 주간 성찰 일기 쓰기, 명상 시간 갖기.**

**창의력 발휘하기** : 창의력을 발휘할 수 있는 활동을 하세요. 이는 문제 해결과 새로운 아이디어를 창출하는 데 도움이 됩니다.

**예: 예술 활동, 새로운 취미 시작하기, 다양한 분야의 책 읽기.**

**네트워크 구축하기:** 자신의 꿈과 관련된 사람들과의 네트워크를 구축하세요. 이는 새로운 기회와 조언을 얻는 데 큰 도움이 됩니다.

**예: 관련된 분야의 전문가와 소셜 미디어를 통해 연결하기, 네트워킹 이벤트 참석하기.**

**정기적인 목표 검토:** 정기적으로 목표를 검토하고, 수정 및 보완하세요. 목표를 명확하게 설정하고 이를 달성하기 위해 꾸준히 노력하세요.

**예: 월간 목표 검토 시간 갖기, 목표 달성을 위한 계획 재조정.**

**다양한 경험 쌓기:** 다양한 경험을 통해 시야를 넓히세요. 이는 새로운 아이디어와 영감을 얻는 데 도움이 됩니다.

**예: 여행하기, 새로운 분야의 세미나나 워크숍 참석하기.**

**멘토와의 대화:** 자신의 분야에서 경험이 풍부한 멘토와

정기적으로 대화를 나누세요. 멘토의 조언은 큰 힘이 됩니다.

**예: 멘토와의 월간 미팅 설정하기, 멘토에게 피드백 받기.**

**책임감 갖기:** 자신의 행동에 책임을 지고, 목표를 이루기 위해 최선을 다하세요. 책임감은 성장을 촉진합니다.

**예: 목표 달성을 위한 일정 관리, 성과를 공유하고 피드백 받기.**

**자신을 격려하기** : 자신을 격려하고 동기부여를 유지하세요. 긍정적인 자기 대화는 중요한 동기부여 수단입니다.

**예: 매일 아침 자신에게 긍정적인 말을 건네기, 성취를 스스로 칭찬하기.**

**지식과 정보 공유하기:** 자신의 지식과 정보를 다른 사람들과 공유하세요. 이는 상호 성장을 촉진합니다.

**예: 블로그나 소셜 미디어를 통해 경험 공유하기, 관련 세미나에서 발표하기.**

**자신을 믿기:** 자신을 믿고, 자신의 능력을 신뢰하세요. 자신감은 성공의 중요한 요소입니다.

**예: 매일 자신에게 "나는 할 수 있다"라고 말하기, 성취한 일들을 리스트로 작성해보기.**

**현실적인 계획 세우기:** 현실적인 계획을 세우고, 이를 단계적으로 실행하세요. 계획은 성공의 길잡이입니다.

**예: 단기, 중기, 장기 목표 설정하기, 목표 달성을 위한 세부 계획 작성.**

**끊임없는 배움** : 새로운 것을 배우는 데 항상 열려있으세요. 배움은 끝이 없습니다.

**예: 정기적으로 새로운 주제에 대해 공부하기, 온라인 코스나 세미나 참여하기.**

## 부록: 영감 주는 인용구

이지해 작가: "저는 여러분의 꿈을 진심으로 응원합니다. 그 꿈이 무엇이든 간에, 그것을 이루기 위해서는 항상 긍정적인 마음을 가지고, 꾸준히 노력하고, 자신의 꿈을 향해 끊임없이 나아가는 것이 중요합니다. 저는 여러분 각자가 선택한 여정에서 언제나 희망과 용기가 함께하길 바랍니다. 그래서 그 여정이 어려워도 포기하지 않고 계속 전진할 수 있기를 바랍니다. 여러분의 꿈이 이루어지는 그 날까지, 힘내세요."

**열정과 노력** "열정을 잃지 않고 실패에서 실패로 걸어가는 것이 성공이다." – 윈스턴 처칠

**용기와 도전** "성공의 비결은 무엇보다도 자신감을 갖고 도전하는 것이다." – 레이 크록

**행동과 변화** "위대한 일은 시작할 때 이루어진다." – 루소

**성공과 실패** "실패는 성공의 어머니이다." – 한국 속담

**행동의 힘** "작은 행동이 큰 변화를 만든다." – 달라이 라마

**자기 신뢰** "자신을 믿어라. 그러면 세상이 길을 열어줄 것이다." – 랄프 왈도 에머슨

**미래의 힘** "미래는 우리가 오늘 무엇을 하는가에 달려 있다." – 마하트마 간디

**집중의 중요성** "당신의 집중력이 당신의 현실을 만든다." – 오프라 윈프리

**결단력** "결단력이 없는 꿈은 공상이 될 뿐이다." – 헨리 데이비드 소로우

**행복한 삶** "행복은 성취의 부산물이다." – 엘리너 루스벨트

**희망의 빛** "어두운 곳에서도 희망의 빛을 찾을 수 있다." – 넬슨 만델라

**변화의 힘** "변화는 당신이 만드는 것이다." – 조앤 롤링

**내면의 힘** "내면의 힘은 외부의 도전에 맞설 수 있다." – 지그 지글러

**배움의 길** "배움은 끝이 없다." – 레오나르도 다 빈치

**자신감과 용기** "자신감을 갖고 용기를 내어 앞으로 나아가라." – 나폴레옹 힐

**변화를 만드는 행동** "행동은 변화의 씨앗을 뿌린다." – 존 F. 케네디

**지속적인 성장** "성장은 끝나지 않는 여정이다." – 마크 트웨인

**희망의 꿈** "꿈꾸는 자는 희망을 품고 있다." – 아리스토텔레스

**내일의 시작** "내일은 오늘의 시작이다." – 마리 퀴리

**미래의 비전** "미래는 당신의 비전에 달려 있다." – 피터 드러커

**목표의식** "명확한 목표를 가지고 있다면 절반은 성공한 것이다." – 알렉산더 그레이엄 벨

**계속 전진하기** "꿈을 향해 걸어가라. 어떤 난관이 있더라도 계속 걸어가라." – 마틴 루터 킹 주니어

**지속적인 노력** "지속적인 노력은 당신을 원하는 곳으로 데려다 줄 것이다." – 코비 브라이언트

**결단과 행동** "결단을 내리고 행동하라. 그렇지 않으면 영원히 꿈을 꾸게 될 것이다." – 캐서린 풀시퍼

**성장의 여정** "성장은 고통스럽고, 변화는 고통스럽지만, 그보다 더 고통스러운 것은 변하지 않는 것이다." – 프레드 데블린

**끈기와 인내** "끈기와 인내는 어려운 일을 해내는 데 있어서 그 어떤 천재성보다 중요하다." – 아인슈타인

**실패와 성공** "나는 실패한 적이 없다. 다만 1만 번의 성공하지 못한 방법을 발견했을 뿐이다." – 토머스 에디슨

**마음의 힘** "우리의 운명은 별에 달려 있는 것이 아니라, 우리 자신에게 달려 있다." – 윌리엄 셰익스피어

**꿈과 목표** "꿈을 꾸는 사람들은 위대한 일들을 이룬다. 우리의 목표는 별처럼 항상 높고 멀어야 한다." – 헬렌 켈러

**긍정적인 생각** "당신이 할 수 있다고 믿든지, 할 수 없다고 믿든지, 당신의 생각대로 될 것이다." – 헨리 포드

## 작가 인사말 혜천(慧天) 이지해

안녕하세요, 저는 이지해입니다. 이 책을 통해 여러분과 만날 수 있게 되어 매우 기쁩니다. "하늘 위에 펼쳐진 100만개의 꿈들: 꿈의 씨앗을 심고, 별빛 속에서 꽃 피우다"는 각기 다른 꿈을 가진 50명의 가상의 인물들을 통해, 꿈을 이루기 위한 여정의 아름다움과 도전을 담고자 했습니다.

이 책에 등장하는 인물들은 모두 상상 속에서 탄생했지만, 그들의 이야기는 우리 모두의 현실 속 이야기와 닮아있습니다. 그들이 겪는 도전과 성취, 그리고 그 과정에서 얻는 깨달음은 꿈을 향해 나아가는 우리 모두에게 큰 영감을 줄 것입니다. 각자의 꿈을 이루기 위한 노력과 열정이 얼마나 중요한지, 그리고 그 여정에서 만나는 모든 경험들이 얼마나 값진지 함께 나누고 싶었습니다.

저는 여러분이 이 책을 통해 자신의 꿈을 다시 한 번 떠올리고, 그 꿈을 향해 한 걸음 더 나아가기를 바랍니다. 꿈을 이루는 길은 쉽지 않지만, 포기하지 않고 꾸준히 노력하는 자세가 중요합니다. 이 책이 여러분의 여정에 작은 등불이 되기를 희망합니다.

끝으로, 이 책을 읽는 모든 분들이 자신의 꿈을 이루고, 다른 이들의 꿈을 응원하는 멋진 삶을 살아가기를 진심으로 기원합니다. 별빛 같은 꿈을 따라 나아가며, 그 길에서 만나는 모든 도전과 성취를 소중히 여기길 바랍니다.

감사합니다.

# 에필로그 Epilogue

이 책을 통해 소개된 50명의 다양한 꿈을 가진 사람들은 모두 가상의 페르소나입니다. 각기 다른 배경과 열정을 가진 이들의 이야기는 상상 속에서 만들어졌지만, 그 여정은 현실에서 꿈을 꾸는 우리 모두의 이야기가 될 수 있습니다.

이 책을 집필하며, 저는 이 가상의 인물들이 마치 실제 사람들처럼 생생하게 다가왔고, 그들의 꿈을 향한 여정은 진정한 영감을 주었습니다.

음악가, 화가, 영화감독, 우주비행사, 인공지능 연구자, 올림픽 금메달리스트 등 각기 다른 분야에서 꿈을 꾸는 이 가상의 인물들은 자신들의 목표를 향해 끊임없이 도전하고 노력했습니다.

그들의 이야기를 통해 우리는 꿈을 이루기 위해 필요한 구체적인 방법들을 배울 수 있었습니다. 작은 목표를 설정하고, 꾸준히 자신을 발전시키며, 주변의 지지와 협력을 얻고, 긍정적인 마음가짐을 유지하는 것. 실패를 두려워하지 않고 지속적인 노력을 통해 마침내 꿈을 이룬 그들의 이야기는 우리에게 큰 교훈을 줍니다.

꿈을 이루는 길은 쉽지 않지만, 꾸준한 노력과 열정, 그리고 긍정적인 마음가짐이 있다면, 반드시 그 꿈을 이룰 수 있습니다. 이 책에 담긴 가상의 인물들이 여러분의 길잡이가 되어, 꿈을 향해 힘차게 나아가는 데 큰 도움이 되기를 바랍니다.

우리는 각자의 꿈을 이루기 위해 서로를 응원하고 지지해야 합니다. 함께 꿈을 꾸고, 서로에게 영감을 주며, 힘이 되어줄 때, 그 꿈은 더 큰 의미를 갖게 됩니다. 이 책을 읽는 모든 분들이 자신의 꿈을 이루고, 더 나아가 다른 이들의 꿈을 응원하는 멋진 인생을 살아가기를 진심으로 기원합니다.

별빛 속에서 꿈을 키우는 모든 분들에게 이 책이 작은 등불이 되기를 바랍니다. 꿈은 언제나 우리 곁에 있으며, 그 꿈을 이루기 위한 여정은 지금 이 순간부터 다시 시작될 수 있습니다.

별빛 같은 꿈을 따라 한 걸음씩 나아가며, 그 길에서 만나는 모든 도전과 성취를 소중히 여기는 여러분이 되기를 바랍니다.

이 책을 마무리하며, 저는 여러분이 이 이야기들을 통해 자신의 꿈을 다시 한 번 떠올리고, 그 꿈을 향해 한 걸음 더 나아가기를 바랍니다.

감사합니다.